D0234539

LES
PETITS HOMMES

OUVRAGES DE GEORGES SIMENON

AUX PRESSES DE LA CITÉ

COLLECTION MAIGRET

Mon ami Maigret
Maigret chez le coroner
Maigret et la vieille dame
L'amie de Mme Maigret
Maigret et les petits cochons sans queue
Un Noël de Maigret
Maigret au « Picratt's »
Maigret en meublé
Maigret, Lognon et les gangsters
Le revolver de Maigret
Maigret et l'homme du banc
Maigret a peur
Maigret se trompe
Maigret à l'école
Maigret et la jeune morte
Maigret chez le ministre
Maigret et le corps sans tête
Maigret tend un piège
Un échec de Maigret
Maigret s'amuse
Maigret à New York
La pipe de Maigret et Maigret se fâche
Maigret et l'inspecteur Malgracieux
Maigret et son mort
Les vacances de Maigret
Les Mémoires de Maigret
Maigret et la Grande Perche
La première enquête de Maigret
Maigret voyage
Les scrupules de Maigret
Maigret et les témoins récalcitrants
Maigret aux Assises
Une confidence de Maigret
Maigret et les vieillards
Maigret et le voleur paresseux
Maigret et les braves gens
Maigret et le client du samedi
Maigret et le clochard
La colère de Maigret
Maigret et le fantôme
Maigret se défend
La patience de Maigret
Maigret et l'affaire Nahour
Le voleur de Maigret
Maigret à Vichy
Maigret hésite
L'ami d'enfance de Maigret
Maigret et le tueur
Maigret et le marchand de vin
La folie de Maigret
Maigret et l'homme tout seul
Maigret et l'indicateur
Maigret et Monsieur Charles
Les enquêtes du commissaire Maigret (2 volumes)

ROMANS

Je me souviens
Trois chambres à Manhattan
Au bout du rouleau
Lettre à mon juge
Pedigree
La neige était sale
Le fond de la bouteille
Le destin des Malou
Les fantômes du chapelier
La jument perdue
Les quatre jours du pauvre homme
Un nouveau dans la ville
L'enterrement de Monsieur Bouvet
Les volets verts
Tante Jeanne
Le temps d'Anaïs
Une vie comme neuve
Marie qui louche
La mort de Belle
La fenêtre des Rouet
Le petit homme d'Arkhangelsk
La fuite de Monsieur Monde
Le passager clandestin
Les frères Rio
Antoine et Julie
L'escalier de fer
Feux rouges
Crime impuni
L'horloger d'Everton
Le grand Bob
Les témoins
La boule noire
Les complices
En cas de malheur
Le fils
Le nègre
Strip-tease
Le président
Dimanche
La vieille
Le passage de la ligne
Le veuf
L'ours en peluche
Betty
Le train
La porte
Les autres
Les anneaux de Bicêtre
La rue aux trois poussins
La chambre bleue
L'homme au petit chien
Le petit saint
Le train de Venise
Le confessionnal
La mort d'Auguste
Le chat
Le déménagement
La main
La prison
Il y a encore des noisetiers
Novembre
Quand j'étais vieux
Le riche homme
La disparition d'Odile
La cage de verre
Les innocents
Lettre à ma mère
Un homme comme un autre
Des traces de pas

GEORGES SIMENON

LES PETITS HOMMES

PRESSES DE LA CITÉ
PARIS

IL A ÉTÉ TIRÉ DE CET OUVRAGE
CINQUANTE EXEMPLAIRES NUMÉROTÉS
DE 1 A 50, ET CONSTITUANT
L'ÉDITION ORIGINALE

ISBN 2-258-00099-8

Lundi 1er avril 1974.

Je viens de revoir en deux heures les cinquante premières pages de mes premières dictées, commencées il y a plus d'un an, et que je n'avais ni réentendues, ni lues sur la copie qu'en a faite Aitken.

Jusqu'aujourd'hui, j'ignorais complètement si je laisserais un jour publier ces textes. Je ne peux encore jurer de rien mais ces cinquante premières pages, si elles ne cassent peut-être rien, me rendent optimiste. Le titre du premier volume sera éventuellement : *Un Homme comme un autre.*

Lorsque j'étais encore jeune j'étais décidé à simplifier mon style à l'extrême et à n'employer dans la mesure du possible que ce que j'appelais les mots « matière ». Les mots abstraits, en effet, ont rarement le même sens pour deux individus.

Ce soir, au moment de nous endormir, Teresa m'a dit :

— Le langage ne sert qu'à créer des malentendus. Il vaudrait mieux se regarder simplement les yeux dans les yeux.

Teresa me dit, au moment où je lui demande de me donner mon enregistreur, que ma dernière dictée est du 1er avril. Je ne me souviens pas du tout de ce que j'ai pu dicter.

Ce qu'il me semble, c'est qu'il y a une éternité que je n'ai pas travaillé, depuis, en somme, la révision d'*Un Homme comme un autre* et celle de *Traces de Pas*. Entre ces deux livres, j'en ai dicté un autre, beaucoup plus court mais plus condensé, qui m'a particulièrement épuisé : *Lettre à ma Mère.*

Depuis, j'attends de me sentir assez vaillant pour revoir *Lettre à ma Mère*. Le manuscrit se trouve dans le coffre d'Aitken. Je viens, aujourd'hui, 19 juin, de lui dire par téléphone de me le descendre quand elle viendra à la maison.

Cela signifie que je suis tenté de me remettre au travail. Et je me connais assez pour savoir que je ne tarderai pas à le faire.

Déjà j'ai allongé mes promenades. Est-ce que j'approche d'une existence normale? J'ose à peine l'espérer, mais j'ai hâte d'en avoir fini avec *Lettre à ma Mère*.

A ce moment-là, je pourrai à nouveau dicter n'importe quoi, selon mon humeur, des choses sans importance, des idées parfois saugrenues qui me passent par la tête. Cela commence depuis quelques jours à me manquer.

Même jour, 19 juin 1974. Quatre heures de l'après-midi.

Je viens à l'instant de finir la révision de *Lettre à ma Mère.* Je suis bouleversé. Je n'aurais pas pu attendre plus longtemps avant de le revoir et, en quelque sorte, de m'en purger l'esprit. Pour parler vulgairement, je l'avais sur l'estomac. Je crois que maintenant je vais me sentir allégé.

Je n'ai aucun projet. Je ne sais pas ce qu'il me reste à dire. Je le saurai peut-être demain, car mon dictaphone me fascine et a fini par faire partie de ma vie.

Cette journée-ci en a probablement été la journée la plus émouvante, pour ne pas dire déchirante.

Vendredi 20 juin 1974.

Journée faste. D'abord, c'est le premier jour de l'été et nous avons la chance que ce soit une journée radieuse.

Deuxièmement, j'ai réalisé aujourd'hui ce qui est pour moi une performance : je suis allé jusqu'à la Vallée de la Jeunesse, c'est-à-dire que j'ai couvert une distance triple de celles que j'avais couvertes précédemment, surtout avec des montées assez abruptes et des descentes. J'ai vu des milliers de roses. En tout, nous n'avons rencontré que deux personnes, deux femmes qui poussaient des voitures de bébé.

Enfin, lorsque j'ai donné mon coup de téléphone quotidien à Aitken, j'ai appris que les quatre photocopies de *Lettre à ma Mère* étaient terminées. Je me trompe, ce n'est pas quatre, mais cinq, car elle en a déjà envoyé trois à certains de mes éditeurs.

Ma grande joie a été de donner à Teresa le manuscrit de ce petit livre. Sans elle, j'aurais peut-être renoncé à l'écrire. Ce livre comportait pour moi, en effet, une telle charge d'émotion, que j'étais à tout moment prêt à abandonner. C'est elle qui m'a encouragé. C'est elle qui m'a soutenu pendant tout le temps que je l'ai dicté.

Enfin, quand avant-hier je me suis décidé brusquement à en faire la révision, elle a en quelque sorte veillé sur moi du matin au soir, car elle n'ignorait pas que c'était une rude épreuve.

C'est un de mes rares manuscrits qui se trouvent désormais dans des mains particulières. Quatre ou cinq autres sont dans des bibliothèques publiques, comme à Oxford et Leningrad. Tous les autres, je les ai gardés. J'ai été ému, car c'était le seul geste de reconnaissance que je puisse avoir envers Teresa à qui je dois tant.

Tout ce qui précède ne fait partie de rien. Ce sont des notes que je dicte pour mon plaisir personnel. J'ai fini les trois ouvrages que j'avais entrepris de dicter lorsque j'ai pris ma retraite. Je suis libre, totalement libre. Je n'ai aucun projet sinon de vivre agréablement. Et je sais déjà que pour cela, il faudra qu'un jour ou l'autre je reprenne mon magnétophone et que je me remette à dicter plus ou moins quotidiennement.

Quatre heures et quart de l'après-midi, même jour.

En réalité, je n'ai rien à dire, mais je tiens pourtant à dicter ces quelques mots. Nous revenons, Teresa et moi, d'une promenade dans le quartier. C'est la première que nous faisons ainsi depuis que j'ai eu la cuisse cassée. C'était surtout pour nous une façon de fêter l'été.

Car il y a ainsi des journées, dans la vie, dont on ne voudrait pas perdre le souvenir. Elles sont si parfaites, la lumière, la température, une très légère brise, que c'est une joie de les accueillir.

Nous voilà rentrés dans notre studio, avec une fenêtre ouverte sur notre petit jardin, C'est le calme, le silence, après le vacarme des autos et surtout des camions. La jeune génération s'habitue à ce vacarme au point de ne plus l'entendre. Pour moi, cela reste une agression.

La promenade n'en a pas moins été bonne et je suis content de tout le chemin que j'ai parcouru aujourd'hui, car c'est comme une promesse que mon état général ira toujours en s'améliorant et que je retrouverai mes forces.

Dimanche 23 juin 1974.

Je voudrais pouvoir décrire l'état dans lequel je me sens mais j'en suis incapable, car je ne le comprends pas moi-même. Au fond, je crois que j'ai connu des moments comme ça toute ma vie.

Je me sens vide. Le monde me paraît irréel. Et pourtant l'idée que je devrai le quitter un jour plus ou moins prochain me peine.

Jadis, lorsque j'étais dans cet état, j'écrivais un roman et j'échappais ainsi à ma propre réalité. C'est peut-être la raison pour laquelle j'en ai écrit plus de deux cents.

J'ai voulu aller toujours plus loin, toujours plus profondément. Avec l'âge, l'heure est venue à laquelle cet effort, même physique, était devenu trop grand.

Je n'ai pourtant pas pu me résigner à me taire. J'ai acheté un enregistreur le jour de mes soixante-dix ans et depuis j'ai dicté près de quinze cents pages. C'est il y a trois jours seulement que j'ai fait la révision du dernier texte : *Lettre à ma Mère.*

J'ai dit dernier, car, en le dictant, j'étais persuadé que ce serait le dernier.

Maintenant, je ne m'y résigne plus. J'ai besoin de m'exprimer. Mais exprimer quoi ? Si j'étais un poète, j'aimerais écrire des sortes de chansonnettes très fraîches, pastorales, qui gardent le goût de l'enfance.

Je ne suis pas poète. Je ne suis pas un philosophe non plus et je suis incapable d'idées profondes qui vaillent la peine d'être dites.

Voilà probablement la raison du malaise de mes deux derniers jours, un malaise qui, chez moi, se répercute immédiatement sur l'état physique.

Demain, dans dix jours, dans un mois, je n'en sais rien, je reprendrai mon microphone avec enthousiasme et je retrouverai la paix comme j'aurai retrouvé quelque chose à dire.

Ce ne sera pas de la littérature. Je n'aime pas la littérature. Ce seront peut-être, tout en dictant en ce moment cela me vient à l'esprit, des petites vérités humaines. De celles auxquelles on ne pense pas, ou auxquelles on n'attache pas d'importance, ou encore dont on a honte et qu'on enfouit au plus profond de soi-même.

Qui sait? C'est peut-être l'accumulation de ces petites vérités-là, de ces pensées qui paraissent futiles, qui passent par l'esprit comme une légère brise, qu'est faite notre vraie personnalité.

Je ne connais pas la mienne. Cela ne m'angoisse pas. Cela ne me pose pas de problèmes dramatiques.

Pourtant, j'aimerais, pour m'amuser, pour mon plaisir, découvrir mes petits coins et recoins, les découvrir gaiement, d'une façon quasi enfantine.

Car, plus je vieillis, et plus je retrouve l'enfant en moi.

J'ignore si je réaliserai ce désir. Il vient de me passer par la tête tout en dictant. Il me donne l'espoir d'être encore capable, un jour, de créer ou de recréer quelque chose.

Quelques minutes plus tard. Teresa, qui m'a écouté, me fait remarquer, non sans une tristesse qu'elle essaie de me cacher, que j'ai perdu la sérénité dont j'ai parlé si souvent et dont je me suis tant félicité. C'est une erreur. Cette sérénité, je l'ai toujours. Des moments comme celui que je vis aujourd'hui ressemblent plutôt à un nuage passager. Ce n'est pas parce que des nuages envahissent le ciel ou qu'il tombe de la pluie que le soleil n'existe plus. Il nous est momentanément caché mais nous savons qu'il va revenir dans tout son éclat.

Ma sérénité, bien qu'il n'y ait pas de soleil aujourd'hui, m'est déjà revenue rien qu'à cause des quelques phrases que j'ai dictées ce matin. C'est comme si j'avais retrouvé mon souffle. Ma lassitude a disparu.

Lundi 24 juin 1974.

Hier, pour des raisons fortuites, j'ai réécouté ce que j'avais dicté le matin. Cela m'est toujours déplaisant, comme cela m'est déplaisant de me relire. Pourtant, je me suis demandé si cette dictée ne pourrait pas servir d'introduction, ou de préface, au livre que j'espère écrire. Quand je dis « livre », le mot me paraît prétentieux. Surtout pour celui-ci. Je voudrais qu'il soit, comme le temps, un mélange de pluie et de soleil, d'impressions, peut-être même, ô prétention ! de réflexions.

Je lis presque tous les hebdomadaires qui paraissent, sauf, bien entendu, les hebdomadaires féminins et les hebdomadaires de cinéma. De plus en plus, ils sont remplis d'articles très graves et très alarmants sur notre futur. Tout paraît inquiétant, les questions de monnaies, de chauffage, de circulation, voire d'électricité. Pas un magazine qui ne nous annonce des catastrophes.

Et c'est là qu'intervient le miracle. L'homme lit tout cela, hoche la tête, puis, automatiquement, se retrouve plongé dans ses petits soucis ou ses petites joies personnels. On dirait que nous ne sommes pas faits pour penser à l'échelle du monde, ou même d'un continent.

Ces jours-ci, un championnat de football tient beaucoup plus de place dans les journaux que n'importe quelle autre question. On a été jusqu'à entourer les camps d'entraînement des joueurs par des barbelés et par des milliers de soldats armés.

Pour moi aussi, la couleur du temps a beaucoup plus d'importance que les questions monétaires ou politiques. Est-ce parce que nous avons appris depuis longtemps que ces questions-là s'arrangent toujours, en bien ou en mal, et que nous n'y pouvons rien ?

Depuis ma retraite, il m'arrive très souvent d'évoquer pour moi-même telle ou telle époque de ma vie, tel ou tel événement du passé. Et je me demande :

— Qu'est-ce qu'il m'en reste?

Beaucoup. Je me sens riche de souvenirs. Mais pas de ceux que j'aurais cités à l'époque. Mes souvenirs, qui font maintenant partie de mon existence, sont des rayons de soleil, de la pluie dégoulinant sur les vitres, le goût d'une crème glacée, de longues marches solitaires dans les différents quartiers de Paris, avec quelques arrêts dans des bistrots à l'ancienne mode où les clients s'adressaient la parole sans se connaître.

Ce qui a compté dans ma vie, c'est la chaleur du soleil sur la peau, celle d'un feu de bois dans la cheminée en hiver, et surtout les marchés, que ce soit à La Rochelle, à Cannes, dans le Connecticut ou ailleurs.

L'odeur des légumes et des fruits. Le boucher tranchant dans d'énormes pièces de viande. Les poissons étalés sur des dalles de pierre.

Si j'ai appris quelque chose dans ma vie, c'est que tout cela est bon et important. Le reste n'est que de l'anecdote et de la nourriture pour les journaux.

Mardi 25 juin 1974.

Drôle de journée. Et drôle de nouvelle que je viens de recevoir. J'attendais aujourd'hui un coup de téléphone de Marie-Jo qui devait me confirmer son arrivée pour demain. J'étais persuadé qu'elle ne téléphonerait pas. Elle ne l'a jamais fait quand elle l'avait annoncé et elle n'est jamais venue aux dates qu'elle avait prévues. C'est plus fort qu'elle. Cela doit être inné. Mais c'est exactement à l'opposé de mon caractère.

J'ai peut-être tort, mais j'ai la manie de tout prévoir, de tout préparer, minutieusement, de sorte que je connais mon emploi du temps pour une éternité. Il est vrai que c'est grâce à cela que j'ai pu écrire mes romans. Mais était-ce tellement nécessaire de les écrire ?

Pour en revenir à Marie-Jo, elle a remplacé son coup de téléphone par une lettre. Elle m'annonce qu'elle va entrer comme ouvreuse dans un cinéma de Paris, ce qui lui permettra de prendre chaque matin une leçon de conduite. Ouvreuse de cinéma ? Pourquoi pas ?

Ce qui m'inquiète le plus, c'est qu'elle est extrêmement myope et tout aussi extrêmement distraite. C'est la seule raison pour laquelle, lorsqu'elle a atteint ses dix-huit ans, je ne lui ai pas acheté une petite voiture, comme je l'ai fait avec mes deux aînés. Je lui avais cependant permis de prendre des leçons. Elle en a pris pendant deux semaines, puis elle a abandonné comme elle abandonne à peu près tout ce qu'elle entreprend.

Cette fois encore j'aurais volontiers payé ces leçons. Mais je considère que cela lui fera du bien de prendre un peu ses responsabilités et de vivre une vie différente.

Ensuite, m'annonce-t-elle, elle ira en Angleterre pour perfectionner son anglais. D'accord.

Drôle de famille ! Hier, on parlait des nouvelles lois sur l'âge électoral et de la liberté des jeunes gens. Pierre, qui vient d'avoir ses quinze ans, a déclaré péremptoirement :

— Je ne vois pas pourquoi un être humain ne serait pas libre dès sa naissance.

Libre de quoi faire, bon Dieu? Pipi dans ses couches, bien sûr, réveiller ses parents deux ou trois fois par nuit en poussant des cris suraigus.

Mais Pierre ne disait pas cela en plaisantant. Je l'ai d'ailleurs toujours laissé libre, tout comme Johnny et Marc, sans compter Marie-Jo. C'est à tel point, par le fait qu'ils voyagent beaucoup, qu'il m'arrive de ne pas savoir où ils sont les uns ou les autres. Il n'y a que Pierre à être encore prisonnier dans la maison. Pauvre Pierre! Ce que cela doit lui peser de n'avoir que quinze ans et de ne pas pouvoir s'envoler à son tour!

Lui aussi va passer ses vacances en Angleterre. Yole, bien entendu, ira les passer en Italie chez ses parents.

Nous serons deux, comme deux magots chinois qui se regardent, Teresa et moi.

Et tout à l'heure Teresa m'a annoncé une joyeuse nouvelle. Elle n'a jamais fait la cuisine de sa vie. Nous avions trouvé une Espagnole qui s'était proposée pour venir chaque jour quelques heures la faire pour nous.

Teresa vient de m'annoncer donc que, si j'en avais le courage, c'est elle-même qui s'en chargerait. Nous n'irons pas au restaurant. A la place, nous irons au marché, ce qui me ramènera des années et des années en arrière. Et on s'arrangera tant bien que mal. Je lui fais confiance. J'aime mieux, en guise de vacances, jouer à la cuisine qu'avoir une étrangère dans la maison.

A propos de vacances, c'est vraiment devenu une hantise qui a envahi toutes les couches sociales, y compris ceux, et surtout ceux qui ne font rien tout le reste de l'année. Il faut aller en vacances.

Dans la rue, des gens qui me savent pourtant à la retraite, me demandent :

— Où allez-vous en vacances, monsieur Simenon?

Je leur réponds tout naturellement :

— Chez moi.

Et ils me regardent d'un air que je soupçonne être condescendant. Quelqu'un qui ne va pas en vacances! Quelqu'un qui évite la bousculade des gares, des aéroports, les autoroutes et les hôtels bondés, quelqu'un qui ne se met pas en bikini ou en slip pour attraper un coup de soleil, n'est-ce pas un individu un peu dément?

Nous continuerons à entretenir notre petit jardin où, au moment où je dicte, je vois des mésanges, des moineaux et deux tourterelles picorer les graines que nous leur jetons.

Nous passerons les vacances avec eux.

J'ai oublié une autre saillie de Pierre, qui ne l'a pas faite avec humour mais très sérieusement. Hier, toujours, il m'a demandé si je pouvais lui donner un de mes deux dictaphones. Il m'a demandé aussi où je les avais achetés. Je ne m'en souvenais pas très bien, mais j'ai cité le magasin le mieux spécialisé de la ville.

— On voit que tu es un gaspilleur, s'est-il écrié. Tu les as certainement payés cinquante francs de plus que dans un magasin de « discount ».

Voilà! Pour un de mes enfants au moins, et peut-être pour tous les trois, eux qui pour s'amuser téléphonent à San Francisco ou à Los Angeles, vont à Tokyo ou à Montréal, le vieux Dad est un gaspilleur. Pour un peu, ils me mettraient sous conseil judiciaire.

Des hasards successifs ont fait que, bien avant la guerre, je me suis rencontré avec ce qu'en médecine on appelle les grands patrons et certains sont devenus des amis. J'en revois aujourd'hui à la télévision, graves, sûrs d'eux, parlant de leurs découvertes ou de leurs recherches.

Je lis aussi les ouvrages qu'ils écrivent, non plus des ouvrages scientifiques réservés aux médecins, mais des ouvrages de vulgarisation.

J'avoue que cela me trouble. Ces grands patrons, en effet, dans l'intimité, ne sont pas ces gens sévères et tourmentés qu'ils veulent être devant le public. Ils parlent de leurs malades et des maladies en général avec une légèreté qui m'a toujours choqué. Ils sont bourrés d'anecdotes plus ou moins drolatiques mais j'ai rarement entendu de leur part un mot de pitié.

Je ne dirai pas qu'à leurs yeux le malade étendu sur son lit d'hôpital est un objet qu'il faut essayer de réparer mais, pas une fois, je ne les ai vus se pencher vraiment sur l'homme ou la femme souffrante.

Car j'ai suivi aussi cette sorte de procession barbare qui a lieu en général chaque matin. Le grand patron marche devant comme s'il portait le saint sacrement. Les internes, les étudiants le suivent en nombre plus ou moins grand, parfois trente, parfois soixante. Ils n'osent pas bavarder car on ne bavarde pas devant le grand patron, mais ils échangent des coups d'œil plus ou moins ironiques.

J'ignore combien de lits il y a par salle aujourd'hui. A l'époque dont je parle, il y en avait jusque trente, sans compter ceux que l'on casait tant bien que mal dans les couloirs.

Le grand patron jette un coup d'œil distrait sur la feuille suspendue au pied du lit et quelquefois il s'humanise à demander :

— Ça va?

Inutile de dire que l'alité, devant cette procession solennelle, n'a guère de réaction, sinon de se faire le plus petit possible.

Le grand patron touche du doigt un point sensible, se tourne vers un de ses assistants et lui demande :

— Quel sera le diagnostic?

Et ainsi de suite avec d'autres assistants. On analyse à voix haute l'état du malade et c'est tout juste si l'on ne dit pas :

— Il en a encore pour trois jours.

Je ne prétends pas que tous les grands patrons soient ainsi. Il existe certainement des exceptions. Je comprends d'ailleurs que, lorsque l'on vit devant la souffrance des autres, on finit par si bien s'y habituer qu'on n'a plus aucune réaction.

On parle beaucoup de médecine et d'hôpitaux aujourd'hui. C'est une nécessité, en effet, et même un devoir de la société. Mais, à mon très humble avis, le premier cours que l'on devrait donner aux étudiants, si grands patrons qu'ils soient appelés peut-être à devenir, est un cours d'humanité.

Jeudi 27 juin 1974.

Je ne suis pas féru d'anecdotes. Mais, depuis que, hier, j'ai parlé de médecine, certains souvenirs me sont revenus. Je m'excuse si le premier a quelque chose de quelque peu érotique.

A Liège, j'avais un ami qui était étudiant en médecine. C'était la période de ses études où il devait se livrer à un certain nombre d'autopsies. Un jour, l'idée lui vient de prélever les parties sexuelles d'un cadavre. Le soir, il avait rendez-vous avec sa petite amie. Il invite celle-ci à explorer son pantalon. Elle y trouve, comme elle s'y attendait, une verge et des testicules. Mais, lorsqu'elle veut les retirer de la braguette, celles-ci se détachent et lui restent dans la main.

L'histoire est authentique. Je pourrais en raconter beaucoup de ce genre car les salles de garde des hôpitaux sont renommées pour leurs plaisanteries macabres.

Est-ce que cette tournure d'esprit est une réaction contre ce qu'il y a de sinistre dans l'éducation du jeune toubib? C'est probable. Mais ce qu'il y a de plus curieux, c'est que, pour beaucoup d'entre eux, elle dure toute leur vie. Que ce soit en France, aux États-Unis, j'ai donné beaucoup de ces dîners que j'appelais des dîners de toubibs.

Ici et là, en effet, la plupart de mes amis étaient médecins et, comme je le disais hier, certains d'entre eux étaient des grands patrons.

Or, ces derniers, par exemple, si graves, si solennels même dans l'exercice de leurs fonctions, se débridaient dans l'intimité d'une façon incroyable.

Le malade qu'ils venaient de quitter, mourant, devenait souvent un sujet de plaisanterie. Les anecdotes pleuvaient. Les hôpitaux cessaient d'être des endroits où l'on souffre et où souvent l'on meurt, pour devenir le lieu où se déroulent des aventures cocasses.

Quant au fameux secret médical, dont les médecins font si grand cas lorsqu'il s'agit des assurances sociales, par exemple, il est loin d'être respecté dans un cercle d'amis. J'ai été souvent gêné d'apprendre des détails extrêmement intimes sur des personnes que je connaissais fort bien.

Je m'empresse d'ajouter que tout cela était fait innocemment. On ne vit pas toute une vie avec la maladie et la mort sans que l'une et l'autre perdent le côté dramatique qu'elles ont pour les humains ordinaires.

Et, comme pour les autres professions, il n'est pas interdit aux médecins, surtout aux plus grands, d'avoir des ambitions.

La première, le premier palier, c'est évidemment le professorat. Il ne s'acquiert pas, comme on pourrait le croire, par des connaissances exceptionnelles, mais par des liens familiaux ou amicaux avec des grands patrons et souvent ceux-ci échangent en quelque sorte des professeurs.

— Nomme mon ami X... à telle chaire et je réserverai telle chaire pour ton ami Y...

L'étage supérieur, c'est l'Académie de Médecine. Et là aussi, c'est souvent une sorte de marchandage. Pourquoi, quand on a soi-disant consacré sa vie à guérir, chercher des distinctions qui ne signifient rien? Qu'un écrivain quelconque s'efforce d'entrer à l'Académie Française, je me contente de hausser les épaules. Balzac n'en faisait pas partie. Mais peu d'académiciens pourraient me citer les noms de ceux qui en faisaient partie à son époque.

Or, voilà que les médecins s'y mettent. Ils écrivent un livre plus ou moins littéraire plutôt qu'un traité sur leur spécialité et la politique recommence, obtenir la voix d'un tel, celle de tel autre.

La suprême distinction, aujourd'hui, pour un grand patron, est d'être à la fois membre de l'Académie de Médecine et membre de l'Académie Française.

Je me souviens d'un très grand patron, l'un de ceux dont les découvertes comptent réellement, avec qui j'ai dîné il n'y a pas si longtemps. Il y avait quatre ou cinq médecins à table. Ils venaient de discuter, dans une sorte de symposium, de questions qui intéressent le futur de l'homme, en tout cas, le futur de sa santé et même de sa vie.

On aurait pu croire qu'à table la conversation aurait continué sur cette lancée. Pas du tout. Il y a eu une cassure nette, instantanée, comme si c'étaient d'autres hommes qui tout à l'heure étaient face à face.

Et l'un d'eux, le plus important, a parlé à peu près sans arrêt... de ses dîners avec de Gaulle. C'était sa fierté, son orgueil, bien plus que ses découvertes. Lorsque de Gaulle avait des hôtes étrangers, il ne manquait jamais d'inviter ce savant, comme il lui arrivait d'inviter un chanteur ou une comédienne.

Tout cela est probablement naturel. C'est naturel, puisque cela existe.

Mais c'est dommage!

Même jour. Quatre heures et demie de l'après-midi.

Promenade plus courte que d'habitude parce que le vent souffle très fort et que le vent est mon ennemi personnel. Et, comme je parlais médecine ce matin et hier, je me retrouve à y penser.

J'ai dépassé ma soixante et onzième année. C'est l'âge de ce que j'appelle des bobos, des petites malaises, des fatigues inattendues, des vertiges, etc. Je n'y attache pas trop d'importance mais, quand il est possible de les éviter par un médicament ou un autre, qui ne fasse pas de tort à l'état général, il est évident que j'en profite.

L'an dernier, j'ai passé plusieurs semaines dans une clinique pour un check-up. Chaque matin, en dehors des analyses, examens radiologiques, etc., un médecin toujours souriant frappait à la porte de ma chambre et s'asseyait en face de moi. Il ne se contentait pas, comme la plupart des médecins, de me prendre la tension, le pouls et la température, ni de m'ausculter. Il se donnait le temps et la peine de bavarder et quand je dis bavarder c'est, tout en parlant de choses et d'autres, de me poser des questions qui n'avaient en apparence aucun rapport avec mon état, d'essayer de me comprendre.

C'est ainsi que plusieurs fois il m'a changé mes médicaments jusqu'au jour où il s'est déclaré satisfait. En effet, je me sentais en pleine forme. Mes vertiges avaient disparu. Je grimpais dans la montagne comme un cabri. Une autre fois je suis descendu à pied à Montreux, ce qui était pour moi une aventure.

Mon médecin habituel est venu me voir et m'a conseillé de continuer mon genre de vie.

Continuer, je ne demande pas mieux, c'est-à-dire continuer à vivre avec le moins de bobos possible.

Il y a plusieurs années, lorsque j'ai passé une période familiale très difficile, il me voyait régulièrement et il a pu se rendre compte des effets du moral sur mon état physique.

Cette période a duré assez longtemps. Je me suis cassé sept côtes. Il est venu chaque soir à la clinique de Lausanne et il est parvenu à me guérir de sentiments qui ne pouvaient que me conduire plus ou moins vite à ma perte.

Je lui en suis reconnaissant. A cette époque-là, il n'avait pas encore son service à l'hôpital et il n'était pas professeur.

Je ne peux m'empêcher de me demander si le souvenir de ces événements déjà anciens n'influe pas aujourd'hui encore son diagnostic, autrement dit s'il n'est pas tenté d'accuser le moral de déficiences purement physiques.

Cela doit être le cas de beaucoup de gens. On a confiance vis-à-vis de deux médecins et il se fait que ces deux médecins sont d'avis différents. Que doit faire le malade? Il y a une chose, pour ma part, que je sais. C'est que, lorsqu'un médecin est souffrant, il fait petit à petit le tour de tous les médecins de la région parce qu'il se demande chaque fois si celui qu'il vient de quitter ne s'est pas trompé. D'ailleurs, plusieurs médecins m'ont confirmé que les malades les plus « difficiles » étaient leurs confrères. Comme des dentistes m'ont dit :

— Nos patients sont toujours un peu effrayés en s'asseyant dans notre fauteuil. Mais ce n'est rien à côté des autres dentistes que nous avons à soigner!

Je ne suis pas retourné à la clinique du « petit docteur » parce que je reste fidèle à mon médecin. Jamais non plus le « petit docteur » n'est venu me voir à Lausanne, où il habite cependant à moins d'un kilomètre de chez moi.

Toujours est-il que je viens, avant de décrocher mon micro, de prendre un des médicaments qu'il m'avait ordonnés, ce que je ne cacherai nullement à mon médecin lausannois.

Une autre remarque à faire du point de vue de la médecine et du malade. En Suisse, les médecins sont inaccessibles le samedi après-midi, le dimanche et le jeudi toute la journée, sans compter le soir où c'est miracle de les trouver chez eux. En outre, l'habitude des congrès s'est répandue au point que la secrétaire vous annonce aussi bien que votre docteur est à Rio de Janeiro ou à Honolulu. Pour un congrès, bien entendu.

J'approuve les congrès. Je les crois utiles, encore que la plus grande partie y soit consacrée aux réceptions, aux visites du pays, aux distractions de toutes sortes.

J'aimerais mieux qu'une connaissance parfaite de la langue

anglaise soit obligatoire pour tous les médecins. Pendant des années j'ai été abonné aux principales revues médicales américaines et anglaises. Or, la plupart des découvertes ont été faites aux États-Unis, grâce aux travaux en équipe et aux moyens mis à la disposition des médecins par des fondations diverses.

Il n'y a pas la moitié des médecins que je connaisse qui comprennent l'anglais. Il faut donc attendre que, de revue en revue, de reproduction en reproduction, ces nouvelles arrivent jusqu'ici — ou jusqu'à Paris.

Je ne parle pas des remplaçants dont le nom vous est donné, parfois par la secrétaire, parfois par un disque téléphonique, parfois encore par le bureau de l'Ordre des Médecins. On vous dit carrément qu'on vous enverra quelqu'un dans deux jours, sinon trois. C'est quelqu'un qui ne vous connaît pas, qui ne vous a jamais ausculté, qui ne connaît rien à votre histoire médicale. Faut-il recommencer à tout lui expliquer depuis sa naissance?

Vendredi 28 juin 1974.

Entre 1933 et la déclaration de guerre, c'est-à-dire pendant six ans, les deux grands ennemis du genre humain s'appelaient Hitler et Mussolini. Avant eux, dès 1920, il y avait eu « l'homme au couteau entre les dents », dont les affiches impressionnantes couvraient les murs de Paris.

Chaque jour, pour l'un comme pour l'autre, les journaux ne manquaient pas de les accuser de menacer la paix du monde, sinon la fin du genre humain, et ils avaient raison.

Quelque chose me troublait cependant. Dans ces mêmes journaux on lisait qu'Hitler, par exemple, avait reçu en grande pompe tel homme d'État européen et des photographies nous le montraient serrant chaleureusement la main de Churchill ou d'un ou l'autre de nos grands chefs.

La guerre s'est bien déclenchée. Hitler s'est montré à la hauteur de sa réputation par ses atrocités. Quant à l'homme au couteau entre les dents, il est devenu notre allié et maintenant c'est à quel homme d'État se précipitera le plus vite à Moscou.

Si je rappelle ces souvenirs, qui sont dans toutes les mémoires, c'est qu'il y a actuellement à Paris, reçu somptueusement au Petit Trianon, un autre homme d'État, du Moyen-Orient cette fois, dans le pays duquel les pendaisons, les têtes coupées sont des événements dont on ne parle même plus tant ils sont fréquents, et le jour où ce souverain a été reçu à l'Élysée six nouvelles pendaisons avaient lieu sur son ordre.

Il est aujourd'hui notre allié. Ses commandes en matériel de guerre ou autre se chiffrent par milliards et vont aider à la remise en ordre des finances de plusieurs pays.

La télévision nous le montre défilant, serrant des mains, souriant, et tout ce petit monde paraît avoir la conscience parfaitement en paix.

Demain, après-demain, il deviendra peut-être à son tour un ennemi du genre humain et on enverra la jeunesse se battre contre lui au nom de la morale et du droit de l'homme.

Je comprends qu'il y ait des usages diplomatiques. Je comprends que les hommes d'État, s'ils ne partagent pas les mêmes opinions, ne se tapent pas sur la figure quand ils se rencontrent. Mais le petit peuple?

Tous ces gens, par exemple, qui ont vu Hitler recevoir les plus grands dignitaires occidentaux? Tous ces défilés, ces grands dîners d'apparat auxquels on nous a invités par l'image à assister?

Est-ce que nos hommes d'État ne savaient pas?

En général, dans la vie courante, on ne serre pas la main de quelqu'un qu'on sait être une crapule.

Pour le moment, plusieurs guerres possibles mijotent au coin du feu. Non seulement nous fournissons des armes, mais nous acclamons nos futurs ennemis.

Les petits jeunes gens qui voient ça et qui demain seront envoyés à la boucherie comprendront-ils que tous ces sourires, ces défilés, ces poignées de main étaient exigés par des questions économiques?

J'aimerais mieux, pour ma part, que l'on dise aujourd'hui ce que l'on dira demain quand on signera l'ordre de mobilisation.

Post-scriptum. Je viens de parcourir le journal de ce matin. J'y lis que le président de l'Uganda, le général Amine Dada, aurait fait procéder à l'exécution de quatre-vingt mille à quatre-vingt-dix mille opposants à son régime.

Cette nouvelle effarante semble confirmée par la commission internationale des juristes qui donne une estimation plus prudente : entre vingt-cinq mille et deux cent cinquante mille.

Il n'y a pas si longtemps qu'on voyait à la télévision ce général couvert de décorations (dont probablement la Légion d'honneur) sortir glorieusement de l'Élysée où il venait probablement, comme beaucoup de chefs africains, d'obtenir d'importants subsides.

Je n'ai encore vu personne protester.

Même jour. Midi moins le quart.

Décidément, ce matin, mon dictaphone tourne à la manie. Et c'est justement pourquoi je le reprends pour la troisième fois.

Je me suis soudain demandé pourquoi ce besoin de parler de questions qui ne sont pas toujours des questions qui me hantent, mais des questions que je me pose au dernier moment.

Je crois que j'ai trouvé la réponse. Avant de prendre ma retraite, j'écrivais en moyenne cinq romans par an. Entre ces romans, je donnais en moyenne trois interviews par semaine, tantôt pour des journaux ou des magazines, tantôt pour la radio, tantôt pour la télévision.

Je passais par conséquent un certain nombre d'heures à répondre à des questions. Souvent, hélas! à des questions qu'on m'avait posées cent fois. Mais aussi à des questions inattendues et amusantes.

Or, qu'est-ce que je fais à présent? J'ai envie de répondre : de l' « auto-interview ». La différence avec autrefois, c'est que je choisis à la fois les questions et les réponses. C'est presque devenu un jeu. Au lieu de penser à vide, si je puis dire, je pense à haute voix, comme je le faisais jadis devant un reporter ou une journaliste.

Je n'attends pas d'avoir d'importantes révélations à faire, des idées profondes à exprimer. J'allais dire : « Tout est bon. »

Ce qui signifie que tout n'est pas nécessairement intéressant mais que tout ce que je dis me délivre l'esprit.

Je me suis plaint parfois du manque d'originalité ou de nouveauté des questions que me posaient les journalistes. Maintenant, s'il en est encore ainsi, je n'ai à m'en prendre qu'à moi-même, puisque je suis à la fois l'interviewer et l'interviewé.

Et puis, cela m'amuse, et c'est tout ce qui importe.

Samedi 29 juin 1974.

Il pleut. Il pleut pratiquement depuis trois jours, ce qui a raccourci mes promenades et en a supprimé deux ou trois.

Teresa a allumé un bon petit feu de bois dans la cheminée, non pas pour chauffer la pièce mais pour enlever l'humidité.

Cette pièce, la pièce unique, en somme, que j'habite, je l'appelle mon studio, quoique cela fasse très commercial.

Ce matin, j'ai envie de m'amuser. Cela m'est venu cette nuit entre deux rêves. J'ai hâte d'en faire une réalité.

La question qu'on m'a le plus posée, pendant cinquante ans, non seulement les journalistes, mais les amis ou des gens que je ne connaissais pas, c'est : « Monsieur Simenon, comment écrivez-vous un roman? »

Eh bien, j'ai décidé que nous allions en écrire un ensemble. Je ne sais pas ce que cela donnera. Mais, quand j'écrivais mes romans, je ne le savais pas non plus en commençant.

Je me promène dans la campagne, sans penser à rien ou en pensant à tout, ce qui revient au même. Et, à un moment donné, je me souviens des corons de ma ville natale. Les corons sont des quartiers faits de milliers de maisons pareilles les unes aux autres, d'un même brun noirci par le charbon dont les terrils noirs servent de paysage.

Dans ce coron, j'imagine un mineur. Les mineurs sont des gens durs, qui travaillent dur, et qui, entre le travail de la journée et le sommeil profond de la nuit, ne se posent pas beaucoup de questions.

Mon mineur a quarante ou quarante-cinq ans. C'est un homme paisible qui, contrairement à beaucoup de ses camarades, passe peu de temps au bistrot.

Il a une femme, Mélie, grande et solide, avec un beau visage régulier et surtout des yeux expressifs.

Voilà pour ce que j'appellerai la mise en place. Le reste, je ne le sais pas encore.

Si, pourtant, il y a chez mon mineur, que nous appellerons Hubert, comme une vague inquiétude. Elle vient de certains regards que ses camarades de travail lui lancent parfois quand il les quitte de bonne heure chez Nénette, le bistrot du coin. Il arrive qu'ils semblent sur le point de le retenir.

Un jour, ils ne l'ont pas retenu à temps. Quand il rentre chez lui, dans sa maison minuscule et pauvre, c'est pour trouver sa femme faisant l'amour avec un camarade.

Jusqu'ici, c'est banal. Le reste sera banal aussi. Je n'en sais encore rien.

Hubert ne casse pas la gueule de son camarade, ne lui dit pas un mot, ne dit pas un mot à sa femme. Les enfants rentrent. C'est le dîner autour du linoléum qui recouvre la table. Un dîner silencieux, oppressé. Puis c'est le lit, le lit où il faudra bien qu'ils soient deux, puisqu'il n'y a pas d'autre lit dans la maison.

Désormais, toujours sans rien dire, sans se fâcher, sans exprimer de reproches, Hubert va effectuer une sorte d'enquête, poser des questions à gauche et à droite, à ses amis, à des compagnons de travail. La plupart lui répondront avec gêne, d'une façon évasive. Un ou deux seulement iront jusqu'à lui dire en riant :

— Tu ne le savais pas?

En surface, la vie continue comme par le passé. Hubert a pu se rendre compte que sa femme n'a pas eu un amant, mais que tout le monde a couché avec elle.

Il ne se fâche toujours pas. Et désormais il passe son temps, dans sa dure tête de mineur, à essayer de la comprendre.

C'est une femelle, une magnifique femelle, mais pas la femelle d'un homme. Elle est la femelle à tout le monde. Il met du temps, beaucoup de temps à l'admettre et il ne parvient pas à cesser de l'aimer.

C'est comme si elle était une malade et on n'en veut pas à une malade.

S'il s'attarde maintenant au bistrot sans qu'on ait besoin de le retenir, c'est qu'il sait ce qui l'attend peut-être. S'il est malheureux, personne n'en sait rien, pas même Mélie, car il reste le même avec elle comme il reste le même avec ses enfants. Ses enfants qui ne sont peut-être pas tous ses enfants. Ce qui se passe dans sa tête, il ne le sait pas, sinon qu'il continue à l'aimer et qu'il ne pourrait pas se passer d'elle.

Dans un vrai roman, nous en serions au moins à la page cent cinquante. Les pages qui manquent, l'épilogue, je ne cherche pas à le connaître. J'ai trouvé deux personnages, deux personnages qui me paraissent pathétiques et qui sont beaucoup plus qu'on ne le croit dans le monde.

Le personnage de femelle d'abord, de ce que les Américains appellent des chiennes. Le personnage ensuite de l'homme qui ne peut s'en détacher.

Comme pour mes romans, je ne savais pas en commençant cette dictée qui en seraient les protagonistes, ni quel en serait le décor.

Cela n'a été qu'un jeu. Un jeu qui, en fin de compte, ne se révèle pas très drôle.

Mardi 2 juillet.

Il y a trois jours, peut-être quatre que je n'ai pas dicté. Je croyais même que je ne me servirais plus de mon petit micro. J'ai eu l'impression, en effet, que ma dernière dictée était mauvaise et que j'allais continuer à bafouiller.

J'avoue que ce n'est pas sans un petit serrement de cœur que je renonçais à mes bavardages plus ou moins quotidiens. Je ne demande pas que ce soient des chefs-d'œuvre. Au contraire, je voudrais leur conserver le ton de la conversation.

Ce matin, c'est Teresa qui m'a mis l'appareil en main et je lui en dis un grand merci. C'est une journée ou plutôt une matinée — puisqu'il n'est pas encore dix heures du matin — assez exceptionnelle. D'abord, nous nous sommes réveillés plus tôt que d'habitude. Ensuite, au lieu de choisir une des promenades que nous faisions les derniers temps et qui était à peu près une des seules qui me soit permise, j'ai réalisé un rêve que je faisais dans mon lit de clinique, lorsque j'avais la cuisse cassée.

Nous sommes à peine à cinq cents mètres du lac. Deux tunnels nous permettent de franchir les routes, de sorte que nous n'avons ni le bruit ni le danger des voitures. L'an dernier, j'ai dû le raconter, c'était notre marche favorite. Nous avions le choix entre prendre à droite pour longer un chemin sans circulation, soit prendre à gauche vers Ouchy.

Malheureusement, il faut ensuite remonter chez nous et la pente, assez forte, m'est difficile.

Je me réjouissais de me retrouver parmi les bateaux, parmi les chemins qui sentent bon, d'entendre le clapotis du lac.

Ce matin, nous avons enfin tenté l'aventure. Nous avons marché une heure et demie à peu près. Nous nous sommes arrêtés à la terrasse du seul restaurant du bord de l'eau et nous y avons bu paisiblement un verre de bière.

C'est banal, je le sais. Banal pour quelqu'un qui n'a pas mon âge et qui ne souffre pas encore de sa jambe gauche.

Pour moi, cette promenade a été à la fois un enchantement et une victoire. Je sais désormais que je pourrai reprendre mes marches dans un décor merveilleux, sans bruits de voitures, sans bousculades.

Nous sommes remontés en taxi. Peut-être la prochaine aventure sera-t-elle Ouchy. Ainsi, petit à petit, aurai-je la sensation réconfortante que la vie redevient normale.

Samedi 6 juillet 1974.

Depuis des temps immémoriaux, sinon depuis que le monde existe, les chefs d'État, les hommes qui, dans un domaine ou dans un autre, ont joué un rôle important dans leur pays, ont écrit leurs mémoires, dans la pierre, dans l'argile, sur parchemin et enfin sur du vulgaire papier.

Ces mémoires sont certes intéressants. Ils aident à reconstituer l'histoire. Mais n'aident-ils pas aussi à la fausser? J'ai lu beaucoup de mémoires dans ma vie. Je ne me souviens pas d'avoir trouvé un passage disant, par exemple :

— Je suis un homme très ordinaire et je ne suis pas à la hauteur de ma tâche.

Ou bien :

— Dans telle ou telle circonstance importante je me suis fourré le doigt dans l'œil.

Il y a d'autres mémoires, écrits par des hommes plus ou moins importants à la Cour, comme Saint-Simon, ou dans la littérature et les arts.

Ceux-là non plus, bien entendu, ne disent pas :

— Ma réputation est usurpée. Tout mon mérite a été d'entrer à l'Académie française grâce à mon beau-père ou à mes relations mondaines.

Ces mémoires, que j'appellerais individuels, étaient il y a quelques années encore assez rares. Depuis trois ou quatre ans, ils pullulent. Chaque écrivain, vers ses soixante-quinze ans, éprouve le besoin de raconter son enfance, son adolescence, puis sa montée vers la gloire.

Chaque semaine au moins, je lis qu'un livre de mémoires est paru et je m'en réjouis, car, sans y croire à la lettre, ils me donnent justement un point de vue nouveau sur des gens que j'ai connus.

Au fond, les mémoires sont de faux portraits de soi tels qu'on veut les laisser à la postérité.

Avant l'invention de la photographie, les grands de ce monde, voire les moyens et les petits, se faisaient portraiturer par des peintres dont c'était plus ou moins la spécialité.

C'est pourquoi certaines époques nous paraissent empreintes de tant de dignité.

Mais si la photographie avait existé sous Louis XIV, par exemple? Le Roi-Soleil serait-il aussi Soleil? On verrait les verrues des grands de ce monde, leurs rides, parfois leurs yeux qui louchent.

Aujourd'hui encore, d'ailleurs, les photographes officiels sont maîtres dans l'art des retouches et c'est pourquoi il y a tant de personnages qui fuient les photographes de la rue et leurs instantanés.

L'homme, en somme, petit ou grand, éprouve le besoin de laisser de lui une image flatteuse. Une autre preuve en est dans les préparations minutieuses des éclairages, qui durent parfois une demi-journée, des prises de vues d'un chef d'État.

A l'écran, ces gens ne transpirent pas, sont exempts de pâleur ou de rougeur. Des maquilleurs habiles leur font un visage digne de la postérité.

Ce qu'il y a de nouveau, depuis quelques années, c'est la prolifération des mémoires de ceux qui n'ont rien à voir avec l'histoire.

Les chanteurs, les chanteuses, les peintres, les romanciers écrivent les leurs.

Pour les romanciers, puisque c'est leur métier, je veux croire qu'ils les écrivent eux-mêmes. Pour les autres, il existe un certain nombre de journalistes dont c'est une affaire d'écrire pour eux.

Un homme qui n'est pas du métier, qui est un homme très ordinaire, me disait hier :

— On dirait que tous ces mémoires ont été écrits par la même personne.

C'est presque vrai. Et ce n'est pas tellement nouveau. J'avais vingt-deux ans et je n'écrivais pas encore sous mon nom quand un éditeur est venu me demander d'écrire les mémoires de Joséphine Baker qui, nimbée d'une gloire toute fraîche, n'avait que vingt ans.

J'ai refusé. Un confrère, pour qui j'ai par ailleurs beaucoup d'estime, a accepté.

Nous allons avoir bientôt les mémoires de Merckx, un coureur cycliste qui parle à peine le français. Nous en aurons de célébrités de toutes sortes, de demi-célébrités, de quarts de célébrités, en attendant, peut-être, que nous en ayons de tout le monde.

Tout le monde a bien, dans l'album de famille, sa photographie, tout nu, à trois ou quatre mois, sur une peau d'ours. On a la photographie des jeunes mariés appuyés le plus souvent à la même colonne de plâtre. Un peu moins souvent la photographie de ce que ces personnages deviennent à quatre-vingts ans.

C'est pourquoi je me refuse à laisser appeler mémoires les deux volumes que je viens de dicter, et qui ne sont que les divagations d'un solitaire.

De même que je me refuse à parler, comme Rubinstein l'a fait complaisamment, des personnages plus ou moins illustres que j'ai rencontrés. Leur vie leur appartient. Je ne suis responsable que de la mienne.

On me rétorquera que mes deux volumes, *Un Homme comme un autre* et *Des Traces de Pas*, sont pleins de moi-même. C'est vrai. Depuis que je n'écris plus de romans, depuis que je ne crée plus de personnages, il faut bien que je parle de quelque chose. Alors, au jour le jour, je note ce qui me passe par la tête.

Mais ce ne sont pas des mémoires. Je me révolte vigoureusement contre cette définition.

Post-scriptum. Au fond, c'est devenu une mode. Peu de grands patrons de la médecine, peu d'avocats, peu de n'importe quoi acceptent de disparaître sans laisser un portrait d'eux et de la place qu'ils ont tenue dans le monde. On lit des mémoires d'infirmières, d'assistantes sociales, d'anciens prisonniers (surtout d'anciens prisonniers ou prisonnières : c'est très prisé). Je crois même avoir vu annoncés les mémoires d'un clochard. Pourquoi pas? Cela risque d'être plus intéressant que les mémoires de Clemenceau, de Poincaré, de De Gaulle, que sais-je encore?

Même jour. Quatre heures et demie de l'après-midi.

Tout à l'heure, en attendant l'émission sur le Tour de France, je jetais un coup d'œil assez distrait sur *le Figaro Littéraire*. Beaucoup trop littéraire pour moi, en effet. C'est pourquoi il m'arrive fort rarement de lire tel ou tel article.

Cette fois, en première page, dans un grand placard, je lis : *Le temps immobile*, et ensuite cet extrait d'une critique de Dominique Fernandel :

« Dans la lignée de Vigny, de Benjamin Constant, voici le journal de Claude Mauriac... Pour la première fois, des techniques inspirées de Joyce, du nouveau roman et du cinéma infusent un sang moderne à un genre littéraire qui n'avait jamais évolué depuis ses origines. »

Si ma mère était encore là et si elle s'était intéressée à la chose littéraire, elle me dirait en hochant la tête : « Tu copies, Georges... »

Dimanche 7 juillet 1974.

Dix heures moins un quart du matin.

Je suis en avance, car je me suis éveillé sans le vouloir une demi-heure plus tôt que d'habitude. Nous avons fait déjà, bras dessus bras dessous, notre petite promenade matinale, Teresa et moi. Comme le soleil est chaud ce matin, nous avons fait ce que nous appelons « la promenade du cimetière ».

Il ne s'agit pas du vrai cimetière, avec des pierres tombales et des monuments plus ou moins sophistiqués, qui se trouve un peu plus loin. Il s'agit du columbarium, qui est un des plus jolis parcs de Lausanne et où il nous arrive d'aller nous asseoir sur un banc.

Rien n'est triste dans le décor, ni dans l'atmosphère. Des poteries de couleurs vives contiennent les cendres, mais on pourrait aussi bien y mettre des fleurs.

Pour revenir, il a fallu passer par l'avenue de Cour et l'avenue des Figuiers. Cela m'a donné comme un choc de voir les autos qui déferlaient bruyamment. Où vont-elles? Où va chacun de ces chauffeurs au visage tendu? Et ces familles entassées dans des voitures trop petites?

Et où vont les Parisiens qui s'amalgament à la sortie de Saint-Cloud? Les Berlinois? Les New-Yorkais? Les petits Japonais de Tokyo aux gestes vifs?

Que font les Noirs des villages de l'Uganda à cette heure? Les femmes pilent-elles toujours le mil dans de grands bols de bois?

Au fond, malgré la radio, la télévision, les journaux de toutes sortes, nous ne savons rien de ce qui se passe de par le monde.

Si! Aujourd'hui après-midi, soixante mille personnes seront entassées dans un stade à Munich et on évalue à sept cents millions le nombre de gens qui, dans les différents pays, suivront le même match de football à la télévision.

Football? Bien sûr, on y jouera. Mais, dans l'esprit des joueurs, des supporters, de bien des gens, n'est-ce pas, malgré tout, une suite de la dernière guerre?

La Hollande et l'Allemagne de l'Ouest sont face à face. Et la dernière fois qu'ils se sont trouvés face à face, non pas sur un stade, mais sur le sol de l'un des deux pays, l'atmosphère était plutôt dramatique.

Des millions, quelques milliards de petits cerveaux qui travaillent dans de petites têtes. C'est nous. Nous ne savons rien de ce que pense notre voisin, encore moins l'homme des antipodes. Et tout cela, même ce que nous appelons les imbéciles ou les crétins, ça pense, ça pense. On ne peut pas empêcher la petite roue de tourner.

Au fond, le monde est une grande machine à penser, mais à penser à vide, car tout cela ne mène nulle part.

Hier, par hasard, à cause d'une petite phrase sans importance, j'ai fait une découverte qui n'a pas d'importance non plus, sauf pour ma progéniture.

J'ai quatre enfants, j'en ai déjà parlé. Je crois avoir dit aussi qu'ils formaient une sorte de petite maffia, c'est-à-dire qu'ils se confiaient plus les uns aux autres qu'ils ne se confient à moi.

Or, je viens de sentir qu'il en sera de ma famille comme de toutes les familles que j'ai connues. Superficiellement, la plupart du temps, tout le monde s'aime et s'entend bien avec les autres.

Dans le profond de chacun, à partir d'un certain âge, naissent des jugements sévères sinon cruels.

J'étais un peu jaloux, et je ne l'ai pas caché, de l'entente qui régnait entre les miens. Maintenant, je regrette pour eux les dissensions, sinon les drames, qui éclateront un jour.

Qu'ils étaient beaux, les livres d'images d'autrefois! Que la famille y était belle! Pourquoi nous a-t-on trompés ainsi sur la réalité, quitte à troubler toutes nos pensées?

Dans ma tête aussi la petite roue tourne. Cela ne donne pas grand-chose, sinon mon plaisir de dicter. Et c'est un plaisir terriblement égoïste.

Ce matin, après avoir fini de dicter, j'ai lu la *Tribune du Dimanche*. Presque tout de suite après, j'ai demandé à Teresa de me passer mon magnétophone. Je voulais ajouter quelques mots à ce que je venais de dire. Au même moment, on annonçait le déjeuner. J'ai mangé. J'ai fait ma sieste habituelle. Et, maintenant enfin, je vais essayer de m'expliquer.

Depuis que je donne des interviews, ensuite depuis que je me confie à mon magnétophone, j'ai toujours prétendu que j'avais passé ma vie à la recherche de l'homme. Comprendre l'homme. Comprendre cet être à la fois si exaltant et si décevant.

Je ne croyais pas avoir réussi, ce qui aurait été beaucoup de présomption de ma part, mais je ne pensais pas en être très loin.

Or, entre ma dictée du matin et celle-ci (il est trois heures de l'après-midi), j'ai découvert que j'ai passé ma vie à courir après quelque chose qui n'existe pas. Je parle de l'homme. Je ne crois plus que l'homme existe, mais je crois qu'il existe des milliards d'individus qui n'ont à peu près rien de commun entre eux, sinon certains organes.

Mais peut-on courir à la recherche des hommes? Au fond, j'ai passé mon temps en vain. Ces milliers, ces dizaines de milliers d'individus que j'ai rencontrés dans ma vie et que j'ai essayé de réduire, comme on disait à l'école, à un commun dénominateur, sont autant d'entités différentes et, dans toutes ces têtes, au moment où je parle, ce sont des cerveaux différents qui fonctionnent.

On a essayé de les rendre plus ou moins semblables. Les religions, les dictateurs, les illuminés de toutes sortes s'y sont employés.

S'ils avaient réussi, si l'entreprise avait été possible, la paix régnerait depuis longtemps sur le monde et la compréhension entre les humains.

J'ai couru des années durant après un homme. Il aurait fallu que je coure après tous les hommes de la terre.

Lundi 8 juillet 1974.

Il arrive, en tout cas il m'arrive, même assez souvent, de prendre conscience d'un bruit auquel on est si habitué que d'habitude on ne le perçoit plus. Celui d'un réveille-matin, par exemple.

J'ai un peu la même impression en ce qui concerne ce qui se passe dans ma tête. Pendant des heures, je n'ai pas l'impression de penser. Et pourtant, les petites roues continuent à tourner comme dans le réveille-matin et tout à coup une idée que je mûrissais peut-être depuis des heures, me frappe.

Hier, j'ai parlé de l'homme et des hommes, des hommes surtout, qui sont tous différents. Ce matin, je me réveille avec une idée beaucoup plus nette à ce sujet.

Notre cerveau, paraît-il, comporte plusieurs millions, sinon plusieurs milliards de cellules, différentes les unes des autres, avec chacune sa fonction particulière.

Pendant des siècles, on a fait de la philosophie ou de la psychologie. Aujourd'hui, il existe des instituts groupant les plus grands savants qui s'attachent à découvrir le mécanisme de ces cellules. Ils n'espèrent pas que cette découverte ils la feront dans quelques années, peut-être pas dans quelques centaines d'années. Ce serait la découverte capitale.

Le mot « homme » n'aurait plus aucun sens. Il faudrait le remplacer par le mot individu, à moins qu'on n'en trouve un autre, puisque aussi bien pour chacun les cellules sont différentes et fonctionnent autrement.

S'il en est ainsi, et ceux qui le pensent sont ceux qui ont le plus étudié le cerveau humain, que dire, par exemple, du Code civil, du Code pénal, des lois qui sont les mêmes pour tout le monde ?

Je ne suis pas le premier à m'étonner, sinon à m'indigner des répliques qui s'échangent aux assises, des questions qui sont posées, des décisions définitives qui y sont prises en « bonne conscience ».

En bonne conscience et en bonne ignorance.

On juge deux êtres complètement différents l'un de l'autre avec les mêmes règles, les mêmes préjugés, les mêmes lois.

Qu'arrivera-t-il quand les savants qui se penchent aujourd'hui sur le cerveau humain découvriront que certains comportements, certaines tendances, certains gestes y sont inscrits d'avance?

Ce n'est pas mon affaire. Je n'y connais rien. Je me contente de penser que la science la plus importante n'est pas la physique nucléaire, qu'il ne s'agit pas d'apprendre à vendre un objet quelconque dans les conditions les plus profitables possible mais à comprendre enfin ce qui fait qu'un homme n'en est pas un autre, que son comportement est bien le sien et non celui déterminé par des règles plus ou moins rigides.

J'ai cherché, comme je le disais hier, à comprendre l'homme. Je n'y suis pas arrivé pour la bonne raison que l'homme n'existe pas.

Il aurait fallu que je m'applique à comprendre les hommes, les milliards d'hommes, et pour cela je ne suis pas outillé.

Le 9 juillet 1974.

J'ai vécu avec trois femmes. La première, je l'ai épousée à moins de vingt ans ; j'étais fiancé avec elle à dix-sept.

Elle ne m'a pas rendu heureux pendant les vingt-deux ans, je pense, que j'ai vécus avec elle.

La seconde, j'ai cru l'aimer pendant quelques années, puis je me suis aperçu que toutes ces manifestations amoureuses étaient factices.

Vingt à vingt-deux ans encore.

La troisième, Teresa, est assise en face de moi en ce moment. Il y a près de dix ans que nous nous aimons. J'espère qu'elle me conduira jusqu'au bout. En tout cas, elle a fait de toutes mes journées un enchantement.

Et, paradoxalement, c'est la seule que je ne puisse pas épouser à cause de mon précédent mariage. Un divorce me ruinerait.

C'est la seule aussi qui n'héritera rien de moi, pas même un bibelot.

Aujourd'hui est pour nous deux une journée mémorable. Pierre part ce soir pour l'Angleterre. Yole part demain à la première heure pour l'Italie. Nous ne serons plus que nous deux. Il y a plus d'un mois que je m'en réjouis. Nous allons vivre enfin comme des jeunes mariés, même si nous ne sommes pas passés devant le maire.

Il m'aura fallu plus de quarante ans de mariage avant de connaître l'amour.

Mercredi 10 juillet 1974.

Ce matin je me suis éveillé avec une sensation de légèreté qui m'a rappelé certains jours de mon enfance. Nous étions seuls dans la maison, Teresa et moi. En somme, nous étions en vacances et même notre première promenade du matin avait un autre rythme que les autres jours.

Après-midi, nous nous ferons conduire en taxi jusqu'en ville afin de faire le marché pour demain. En effet, dans ce que je pourrais appeler notre petit bourg, c'est-à-dire notre faubourg, la plupart des boutiques où nous nous servons d'habitude sont fermées.

La maison est vide. Tout un étage est désert. Yole est partie ce matin à six heures. Pierre a pris l'avion hier soir pour Oxford où il a dû se réveiller dans une maison étrangère, habitée par des étrangers. Cela me fait penser à la maison de ma mère qui, elle aussi, logeait des étudiants.

Comment s'habituera-t-il à la nourriture anglaise? Quels seront ses rapports avec sa logeuse? Cela le regarde. Je ne veux plus penser qu'aux quelques murs qui m'entourent, qu'à mes objets familiers et à Teresa, sans compter à un autre souvenir d'enfance, bien plus savoureux : aller faire le marché quotidiennement avec elle. Acheter la viande, les légumes, les fruits, tout cela m'émerveillait lorsque j'étais enfant. Cette joie m'est donnée à nouveau et je me sens plein d'une sorte de béatitude.

Je ne me mets pas à chanter, ni à siffler, encore moins à danser sur mes vieilles jambes mais je regarde le décor autour de moi avec d'autres yeux.

Enfin, plus d'avions, plus d'hôtels, plus de bagages, plus d'odeur d'huile à bronzer. C'est même un soulagement de ne pas voir, par les fenêtres, une mer que j'ai tant aimée.

Être chez soi.

Combien de gens comprennent ce bonheur-là? Ils s'aménagent un intérieur plus ou moins coûteux, plus ou moins à leur goût, et dès qu'arrivent les dates fatidiques ils s'échappent. Ils s'échappent à Pâques. Ils s'échappent en juillet ou août. Ils s'échappent à Noël.

Quand donc jouissent-ils de leur intérieur? Surtout que quand ils y sont, ils doivent restreindre leurs dépenses pour payer toutes ces échappées.

Mon quartier, ce matin, me paraissait avoir rétréci. Une bonne partie des volets était fermée. Les autos étaient moins nombreuses. Nous allons nous amuser, Teresa et moi, à faire notre petite cuisine et ce sera une sensation nouvelle de nous trouver tous les deux seuls à table.

J'ai marqué la journée par une innovation. Pour la première fois cette année j'ai mis mes souliers blancs comme si j'étais à Deauville ou à Cannes.

Je ne trouve qu'un mot pour exprimer ce que je ressens : je savoure.

Le reste de la famille est un peu partout et j'avoue cyniquement que je ne me préoccupe pas de ce qu'ils font. Je ne compte pas recevoir de lettres. Peut-être une ou deux cartes postales? J'en doute. Marc est à Rome, ses enfants sont, je suppose, dans leur maisonnette proche de Rambouillet à moins qu'ils ne soient chez Tigy; Marie-Jo est à Paris, ainsi que Johnny, mais je ne pense pas qu'ils se voient beaucoup.

C'est la dispersion, qui attend toutes les familles. On vit dans une intimité constante pendant un certain nombre d'années puis chacun s'en va de son côté. Par bonheur il me reste Teresa qui me rend d'autant plus heureux que nous vivons pour quelques semaines dans la solitude.

Que c'est bon, la solitude à deux et la paix.

Dix minutes plus tard.

Il s'est produit cette semaine un petit événement : j'ai reçu un ami. Un ami qui a mon âge, à quelques mois près, qui a rendu florissante une petite affaire héritée de son père et qui a travaillé jusqu'à l'année dernière.

Il a une famille, lui aussi, et cette famille, tranquillement, l'a écarté de son propre travail. Il nous a dit entre autres un mot que je trouve tragique :

— Maintenant, je fais ce qu'ils me disent de faire.

Ils l'ont envoyé sur la Côte d'Azur, tout seul. Il a d'abord vécu à l'hôtel. Puis on lui a permis de s'acheter un appartement. Mais, pendant la période de vacances, ses enfants l'envoient se promener ailleurs afin d'occuper cet appartement.

Je dis tout cela sans tristesse, sans révolte, j'ajoute même sans mélancolie.

On dirait que c'est une loi de la nature. Et elle est moins cruelle que le cocotier.

Même jour. Cinq heures et demie de l'après-midi.

Je n'ai pas encore lu ma *Tribune*, ce que je fais d'habitude de bonne heure le matin. J'ai l'impression que je n'ai rien fait mais que j'ai flotté comme dans un nuage. C'est une journée exceptionnelle, la première de nos vacances.

Après la sieste, nous nous sommes fait conduire en ville par un taxi. Nous sommes restés longtemps dans mon magasin préféré, c'est-à-dire la poissonnerie, à regarder poisson après poisson.

Car cela pose un problème. Il ne m'était pas venu à l'esprit qu'il soit si difficile d'acheter de la nourriture pour deux personnes. Nous avons choisi le plus petit turbot. Mais, malgré sa taille, il a l'air de défier notre appétit.

Nous avons acheté bien d'autres choses, moins, au fond, pour les manger que pour le plaisir de les acheter.

Teresa et moi, pendant quelques heures, avons eu vingt ans. A un moment donné, je me suis arrêté sur le trottoir et j'ai déclaré :

— J'ai une soif inquiétante.

C'est un mot qu'employait couramment un de mes amis quand il venait me voir à bord de l'*Ostrogoth* et qu'il apercevait la barrique de vin que j'avais installée sur la berge. Nous n'avons pas bu de vin. Nous nous sommes contentés d'une bière. J'espérais aller faire pipi. C'était malheureusement impossible car les toilettes étaient au premier étage. Or, à cause de ma cuisse qui n'est pas complètement ressoudée, je ne peux pas encore monter ni descendre les marches.

Nous avons fait demi-tour pour rejoindre un urinoir public, à côté du poste de police.

Maintenant, nous voilà face à face avec nos achats. Il s'agit d'en décider l'emploi. Nous sommes comme deux oiseaux en liberté qui volettent d'un côté à l'autre.

Pourquoi la vie n'est-elle pas toujours ainsi?

Je ne sais pas ce que Teresa, depuis notre retour, a mis dans les casseroles. J'espère qu'elle n'a pas imité ma grand-mère qui se contentait d'y mettre de l'eau à bouillir. Elle en serait bien capable, non par vanité mais par jeu, car depuis ce matin elle est redevenue une petite fille.

11 juillet 1974.

Les vacances ont commencé hier, certes. Mais, dans la réalité, c'est aujourd'hui qu'a lieu la vraie détente. Depuis deux ou trois ans, il arrivait qu'entre Teresa et moi se produise un malentendu, comme dans tous les ménages. Ce matin, ce malentendu est dissipé définitivement et la vie est plus belle que jamais.

Je suis un peu abruti, un peu mou. Ces sortes d'explications ne touchent pas seulement le moral mais le physique.

C'est pourquoi la délivrance est tellement savoureuse. J'ai envie de traîner dans la maison, de traîner dans mon lit, à savourer cet événement que j'attendais depuis si longtemps.

Le brouillard s'est dissipé. Le soleil est éclatant, dedans et dehors.

Merci, ma petite Thérèse, d'avoir eu le courage de te confesser.

Samedi 13 juillet 1974.

C'était mon premier Quatorze Juillet à Paris. A cette époque-là, il se fêtait pendant toute la nuit du 13 au 14.

J'en garde le souvenir d'un véritable tourbillon, d'une population débridée. La plupart des cafés avaient construit une estrade au milieu de la rue et un orchestre à base de trombones et d'accordéons jouait sans répit. Tout le monde dansait. Tout le monde chantait. On passait d'un bal à l'autre et on enlaçait la première femme qu'on rencontrait.

A cette époque-là, relativement peu de gens partaient en vacances. Autrement dit, les rues de Paris étaient pleines, pleines d'un peuple joyeux, et le vin blanc coulait à flots.

Des artistes allaient d'un bal à l'autre et c'est ainsi que j'ai entendu pour la première fois, sur une estrade de la place de la République, Maurice Chevalier. Il ne s'agissait pas de faire signer des autographes. Tout le monde était au même niveau et c'est alors que j'ai compris ce que signifie la joie populaire.

Il y a longtemps que je n'ai plus vécu de Quatorze Juillet à Paris. Pour autant que je sache, les bals se sont raréfiés. Au lieu de danser à la bonne franquette, les gens foncent, l'œil fixe, les dents serrées, vers la mer ou la campagne.

Ce Paris-là, que je suis heureux d'avoir connu, je ne l'ai jamais retrouvé et surtout je n'ai pas retrouvé son humeur communarde et bon enfant.

On a tant d'autres choses à penser !

Les cinémas étaient rares et donnaient du Charlie Chaplin, avec une petite sonnette grelottant à l'entrée. Ce n'étaient pas des palais comme aujourd'hui mais des salles rudimentaires.

Les gens qui dansaient habitaient dans la rue même ou dans la rue voisine. Ils n'avaient pas à retourner ensuite à Sarcelles ou dans je ne sais quelle banlieue lointaine.

Les autos étaient rares. C'était un monde, en somme, qui ressemblait davantage au XIXe qu'au XXe siècle et le lendemain, aux Champs-Élysées, luisaient les hauts-de-forme.

Lundi 15 juillet 1974.

Voilà une semaine que nous vivons seuls, Teresa et moi, dans notre petite maison rose. Au début, Teresa était effrayée à l'idée de devoir faire la cuisine, ce qu'elle n'avait jamais fait de sa vie.

Or, elle a réussi à merveille et chaque repas a été un plaisir.

La maison est si paisible que je m'entendrais penser si je pensais. Mais j'en suis arrivé à ne pas penser du tout, sinon à des choses floues et agréables.

Quand je suis dans mon fauteuil, à parcourir les journaux, je l'entends aller et venir dans la cuisine, j'entends des bruits d'assiettes, de casseroles et je peux ainsi la suivre en esprit.

Est-ce à cause de cette paix totale et savoureuse? Je n'éprouve pas le besoin de dicter dans mon magnétophone. Si je ne me trompe, voilà plusieurs jours que cela ne m'est pas arrivé. Et, aujourd'hui encore, je n'ai rien à dire.

Pourtant, lorsque je dictais chaque jour ou à peu près, ce n'était pas le reflet d'une inquiétude, ou de préoccupations.

Alors?

Il faut croire que j'ai atteint, dans notre petit ménage à deux, une paix totale qui me suffit. Je ne cherche pas plus loin. Je me contente de vivre paisiblement chaque heure de la journée.

Cela doit être cela que l'on appelle le bonheur.

Même jour. Cinq heures et demie de l'après-midi.

Je reviens de la ville. Bien entendu, j'ai pris un taxi puisque je n'ai plus de voiture. C'est quelquefois une expérience assez désagréable car beaucoup de taxis sont assez petits.

Pour entrer dans celui-là, je demande au chauffeur de me tendre la main. Il le fait très gentiment et, très gentiment aussi, il me dit :

— A votre âge, c'est compréhensible.

Cela m'a fait penser aux trois chutes que j'ai eues dans ma vie et qui, au moment même, paraissaient sans trop de conséquence.

La première, j'avais onze ans. Je courais dans la cour de l'école et il y avait tout autour une étroite plate-bande bordée de briques. Je devais faire le petit fou. Toujours est-il que je suis tombé. Je n'ai pas pu me relever tout seul car ma jambe droite était très douloureuse. Deux de nos locataires étaient étudiants en médecine. Ils ont tout de suite diagnostiqué un épanchement de synovie et m'ont plâtré. J'ai passé trois semaines merveilleuses, le genou dans le plâtre, étendu sur une chaise longue, à lire du matin au soir.

Soudain, un matin, un des étudiants est rentré en uniforme militaire. La guerre était déclarée. Les Allemands étaient aux portes de Liège. Une rue brûlait à cinq cents mètres de chez nous. On m'a enlevé mon plâtre et on m'a descendu à la cave où l'on avait étendu des matelas pour tout le monde.

Cela me paraissait plaisant. Aujourd'hui, à soixante et onze ans, il m'arrive encore d'avoir des lancinements dans le genou droit.

L'autre chute est plus récente. Il y a une dizaine d'années, j'ai glissé dans le cabinet de toilette que j'avais fait installer à Épalinges à côté de mon bureau. J'en avais, comme d'habitude, verrouillé la porte. J'étais comme un crabe sur le marbre. Je faisais des efforts pour atteindre le verrou. Je n'en arrivais qu'à deux ou trois centimètres. Je criais au secours. La maison était pleine de gens, y compris mes trois fils, ma fille et tout le personnel. Mais la maison était tellement vaste que personne n'entendait rien et il n'y a eu que Teresa qui, ne me voyant pas à ma place habituelle, s'est mise à ma recherche et m'a découvert.

Comment m'a-t-elle sorti de ces toilettes étroites? Je l'ignore. Je me suis retrouvé sur un canapé et une demi-heure plus tard mon médecin était là.

— J'ai sept côtes cassées, lui ai-je annoncé.

Il m'a tâté et a rectifié :

— Non, cinq.

Il a appelé un chirurgien qui était mon ami aussi.

— J'ai sept côtes cassées, me suis-je obstiné à annoncer.

— Non, six.

Le lendemain matin, lorsqu'à la clinique on a pu Dieu sait comment me prendre des radiographies, on s'est aperçu qu'il y avait bel et bien sept côtes cassées.

C'est alors que le chirurgien m'a posé une question qui m'a surpris :

— Aimez-vous mieux que la guérison soit longue et que vous ressentiez peu de souffrance? Si je vous laisse comme vous êtes, ce sera assez bref mais très douloureux. Si je vous mets un pansement serré, vous souffrirez moins mais ce sera plus long. Enfin, si je vous installe un plâtre, vous ne sentirez presque rien, mais cela prendra beaucoup plus de temps.

J'ai choisi le traitement le plus simple et le plus court, c'est-à-dire rien du tout. Seize ou dix-sept jours après, je sortais de la clinique. Je croyais naïvement en être quitte. Après dix ans, il m'arrive encore d'avoir des douleurs à l'endroit des cassures.

Troisième épisode. Il y a trois mois, en entrant dans la salle de bains de ma petite maison, je n'ai pas vu qu'il y avait une petite marche. J'ai senti un choc, une sorte de brouillard dans ma tête. Là encore, c'est Teresa, qui se trouvait heureusement dans la pièce voisine, qui a fait le nécessaire. Je me souviens vaguement qu'elle a donné des coups de téléphone. C'était un samedi après-midi. La plupart des médecins étaient absents de Lausanne. Les ambulances étaient toutes occupées. En fin de compte, c'est l'ambulance de la police qui m'a transporté à la Permanence de Longeraie où, après une longue attente, car on faisait la queue, on a pu me radiographier. J'avais une fracture bien nette du grand trochanter, un os qui se trouve à moins de deux centimètres du col du fémur.

Re-clinique. Un lit-cage, comme un lit de bébé.

Je suis resté cinq semaines dans ce lit-là, incapable de me lever et ce n'est qu'après deux ou trois semaines que j'ai pu faire, entre les bras de deux personnes, puis de Teresa seule, une vingtaine de pas dans le couloir.

Cela non plus ne paraissait pas dramatique. Je prenais l'événement avec bonne humeur. Six mois après, je me rends compte que j'en souffrirai toute ma vie. Ces trois chutes, en effet, m'ont laissé une certaine gaucherie dans mes mouvements et aussi la peur instinctive de tomber à nouveau.

Je n'ai pas à me plaindre. Trois chutes en soixante et onze ans, ce n'est pas beaucoup. La dernière me supprime les longues promenades et je ne peux circuler qu'au bras de Teresa, car je garde l'impression que je vais tomber.

C'est probablement à cause de ça que mon chauffeur de taxi m'a dit si gentiment :

— A votre âge...

Jeudi 18 juillet 1974.

Je viens de recevoir une lettre de ma fille qui me donne beaucoup d'espoir. En même temps, elle montre les difficultés pour une jeune fille de travailler dans le cinéma.

Elle a vingt et un ans. Pendant cinq ans, elle a suivi des cours de toutes sortes, y compris de danse classique et de danse moderne. Quand je dis qu'elle les a suivis, je soupçonne qu'elle ne les a pas suivis tous. Elle a suivi aussi des cours d'art dramatique.

Elle est partie pour Paris gonflée d'espoir. En deux ans, elle a décroché deux ou trois petits rôles qui tiennent plutôt de la figuration.

Dans sa lettre, elle me confirme qu'elle fait un remplacement d'un mois comme ouvreuse dans un cinéma des Champs-Élysées. C'est toujours du cinéma!

Elle m'explique aussi les fatigues du métier et me fait remarquer que les gens qu'elle conduit à leur place ne s'en rendent pas compte. Elle travaille de une heure de l'après-midi à une heure du matin. Pour se reposer, elle dispose d'une petite chaise dans un coin.

Je ne sais pas si elle porte un uniforme. Je le suppose.

L'important, c'est qu'elle ait compris que rien dans la vie ne s'obtient sans effort. Elle ne se plaint pas. Son mois fini, elle va essayer à nouveau d'obtenir des bouts de rôles, et c'est aussi fatigant de courir d'un imprésario à l'autre.

Jusqu'au mois dernier, elle imaginait encore que la vie n'est qu'une partie de plaisir. Aujourd'hui, elle se rend compte qu'il n'en est rien et que tout se paie, surtout le vedettariat.

Avant-hier, nous sommes allés faire notre marché, Teresa et moi. Nous ne sommes que deux. J'étais habitué à une maisonnée d'une douzaine de personnes et à des commandes en gros.

Nous avons couru les boutiques. Et c'est là que la difficulté commence. Acheter pour deux personnes, cela demande déjà des calculs compliqués. Mais ceux qui n'achètent que pour une seule personne ? Une pomme ? Un poivron ? Quatre-vingts grammes de viande ? Combien de grammes de haricots verts, je n'en sais rien.

Cela fait comprendre beaucoup de choses, y compris le vieillard qui va de boutique en boutique avec des tout petits paquets au bras. Préparer un ragoût d'agneau pour une seule personne ? Un pot-au-feu ? Que sais-je ?

Je ne m'étais pas encore assez penché sur les solitaires. Je commence à les comprendre.

Est-ce qu'on peut, pour un plat cuisiné, acheter une carotte, un poireau ?

Et une salade, qui coûte si cher aujourd'hui, devrait durer deux jours, mais le second jour elle est déjà défraîchie.

Vendredi 19 juillet 1974.

Va-t-il falloir que je revoie toutes mes idées au sujet des enfants ? Hier, c'était une adorable lettre de Marie-Jo, ouvreuse de cinéma à Paris. Elle se rend compte qu'on n'obtient rien sans effort et elle est décidée à repartir dans la vie avec un esprit nouveau.

Aujourd'hui, une lettre de Pierre, qui est à Oxford, où il suit les cours d'anglais. Il est logé chez l'habitant. Cela me permet de le situer puisque, toute ma jeunesse, j'ai eu des étudiants comme locataires dans ma maison.

Sa logeuse paraît parfaite. Hier, à neuf heures du soir, elle est allée lui porter une tasse de café dans son lit. Il me dit pourtant qu'il s'est mis au thé. Ils ont eu aussi l'initiative, ses camarades et lui, de louer des vélos pour leurs randonnées. Ce qui les gêne encore un peu c'est l'obligation de rouler à gauche au lieu de rouler à droite.

Pour la nourriture, il me dit qu'elle est bonne, ce qui, dans sa bouche, est rassurant, car Yole a l'habitude de lui faire des petits plats.

Au fond, ce n'est peut-être pas eux qui ne nous comprennent pas mais nous qui, malgré toute notre bonne volonté, ne les comprenons pas. Ils nous apparaissent comme de grandes brutes cyniques. Et si, en réalité, ils n'étaient pas simplement de grands timides ?

Dimanche 21 juillet 1974.

Je suis troublé. Hier soir, au moment de nous mettre au lit, Teresa m'a posé une question. Il faut que je dise entre parenthèses que c'est la personne au monde qui me connaît le mieux. Depuis dix ans, pratiquement, elle vit avec moi vingt-quatre heures sur vingt-quatre et est témoin de mes moindres réactions. Il lui arrive qu'elle se trompe dans un jugement sur tel ou tel de mes comportements, mais c'est extrêmement rare. Le plus souvent, elle me révèle à moi-même mes motivations profondes.

La question qu'elle m'a posée hier soir, au moment où je m'y attendais le moins, c'était : « Est-ce que tu ne regrettes pas d'avoir cessé d'écrire des romans ? »

J'avoue que cette question, depuis le 13 février 1973, date de mes soixante-dix ans, je ne me l'étais jamais posée avec autant de netteté.

Y a-t-il vraiment chez moi ce qu'on pourrait appeler la nostalgie du roman?

Tout d'abord je dois faire une distinction. En français, nous n'avons qu'un mot pour ce qui est la littérature. En anglais, il existe la littérature d'une part et la « fiction » de l'autre.

C'est ce qui me permet peut-être de répondre en toute franchise, à la question de Teresa.

Fiction? Non, je ne sens plus le besoin d'en écrire et je crois que j'en serais incapable, peut-être parce que je n'ai plus envie de créer des personnages, peut-être parce que je n'en ai plus l'énergie.

Littérature? C'est un mot qui m'a toujours été étranger. J'essaie parfois de lire ce qu'on appelle les journaux littéraires et c'est rare que j'arrive au bout d'un article.

Alors? Le roman ne me manque pas. Je suis content d'en avoir écrit plus de deux cents, mais je n'y pense jamais et je suis surpris lorsque je reçois des thèses ou des études approfondies à leur sujet, lorsque j'apprends que dans tel ou tel pays ils servent à l'enseignement scolaire.

Ils se sont détachés de moi, complètement. Je ne les renie pas. Je ne renie rien de ce que j'ai écrit, pas même mes romans populaires.

Mais je n'éprouve aucun besoin, aucune tentation de continuer dans une voie que j'ai suivie pendant près de cinquante ans.

Quant au mot littérature, il m'est encore plus étranger. Pourtant, j'éprouve le besoin de dicter presque quotidiennement, sur un sujet ou sur un autre qui me passe par la tête, sur une image que j'ai vue ce jour-là, sur une silhouette que j'ai rencontrée dans la rue.

Pour moi, ce n'est pas de la littérature.

Je crois que tu peux te rassurer, ma petite Thérèse. Je n'ai aucun regret, aucune envie de faire autre chose que ce que je fais.

Après avoir tant écrit, je dicte, c'est-à-dire que je parle dans un petit micro et je raconte simplement ce qui me passe par la tête.

Au fond, je suis, comme tout le monde, à la recherche de mon vrai moi. Je ne l'ai pas trouvé et je sens qu'il faudra encore longtemps, si ce temps m'est donné.

Même jour. Cinq heures et demie de l'après-midi.

Curieusement, c'est le cyclisme qui vient de me donner la réponse à une question que je me suis souvent posée.

Au début, lorsque j'écrivais mes premiers romans, je le faisais presque en fredonnant comme un peintre devant son chevalet. Puis, peu à peu, cela est devenu plus difficile et, les dernières années, c'était presque un travail pénible, qui m'épuisait.

Le contraire n'aurait-il pas dû être vrai?

Cet après-midi nous sommes montés à l'appartement de l'avenue de Cour pour voir la fin du Tour de France à la télévision, car je n'ai pas voulu descendre mon appareil. Il y a eu entre autres une table ronde et je crois que c'est à Thévenet que l'on a posé la question de savoir si, pour Merckx, un Tour de France était plus dur que pour les autres.

Il a répondu sans hésiter :

— Sans aucun doute, car Merckx est obligé de gagner.

Cela m'a rappelé les premières demandes de traductions venant de l'étranger, puis se multipliant, les thèses dans diverses universités, etc. Bref, à mesure que je commençais, que les autres commençaient à me prendre au sérieux, je me suis senti une certaine responsabilité.

Et, comme pour Merckx, ce sens de la responsabilité devient plus épuisant que l'effort lui-même.

Vendredi 20 septembre 1974.

Comme d'habitude, nous sommes assis, chacun d'un côté de la cheminée Empire, dans de profonds fauteuils de cuir brun, Teresa et moi.

A notre portée, des journaux, des hebdomadaires, parfois un livre, la radio.

Il m'est rare de rencontrer quelqu'un qui connaisse notre vie dans une seule pièce, studio, chambre à coucher, bureau, tout ce que l'on veut, une pièce à tout faire, qui est devenue mon vrai domicile, mon vrai chez-moi.

Tout à l'heure, comme nous le faisons jusqu'à dix fois par jour, nous irons marcher dans les rues calmes des environs.

— Vous ne vous ennuyez donc pas? Vous n'avez pas besoin d'autres activités? Vous qui en avez eu tant toute votre vie.

Comme ils se trompent! Jamais autant qu'à présent je n'ai vécu une vie intérieure, riche et pleine, qui n'est pas faite seulement que de souvenirs, bien au contraire, mais qui est faite de tout ce qui peut enchanter la vie d'un homme. Il en est de même pour Teresa, pour qui l'idée d'aller en ville est aussi étrangère, j'allais dire horrifiante, que pour moi.

Lorsque j'étais enfant, un des livres qui m'avait le plus impressionné et que j'ai relu deux ou trois fois, c'est un livre qu'on ne doit plus guère trouver aujourd'hui qu'à la Bibliothèque Nationale et dans quelques bibliothèques privées : *Voyage autour de ma chambre* par Xavier de Maistre.

Eh bien, enfin, après soixante et onze ans, j'ai ma chambre, ma chambre à vivre, ma chambre à penser, à lire et à aimer.

Je ne crois pas l'avoir décrite. Elle est au rez-de-chaussée d'une petite maison du XVIIIe siècle, et une grande baie, plus deux fenêtres, donnent sur un jardin, pas bien grand, mais qui me suffit, et où se trouve le plus bel arbre de Lausanne, le dernier de son genre, car tous les autres sont morts : un monumental cèdre du Liban qui a plus de deux siècles.

La chambre est assez vaste. Dans un angle, notre lit, avec deux côtés rembourrés qui touchent au mur car, depuis que je me suis cassé la hanche, je crains toujours un choc et il m'arrive de me remuer beaucoup la nuit. Teresa forme barrière de l'autre côté.

Comment décrire la couleur des murs ? Je l'ai minutieusement choisie. Ce n'est ni tout à fait du rose ni tout à fait de l'orange, mais une teinte qui tient des deux. Ce n'est pas fade du tout, ni féminin.

Il y a un troisième fauteuil pareil aux deux autres pour l'invité quand, par un extrême hasard, nous avons un invité.

J'ai un petit bureau blanc, de style scandinave, qui me suffit amplement, moi qui ai là-haut, dans l'appartement de l'avenue de Cour, c'est-à-dire de la Tour, un immense bureau anglais à deux faces.

Nous avons aussi une minuscule bibliothèque, blanche également. Les curieux lisent les titres des livres et sont parfois étonnés de mon choix. C'est qu'il ne s'agit pas de mon choix. C'est la petite bibliothèque fourre-tout où je range les ouvrages que je reçois.

La cheminée, en marbre brun, est très belle. Elle est surmontée de la statue de deux danseuses que j'ai achetée chez un marchand de tableaux. Au milieu trône un de mes objets les plus chers, dans le sens affectif du mot, bien entendu, car la valeur marchande m'importe peu. Cela s'appelle un Navy Quarz, créé il y a quelques années par Patek Philippe. Elle ne varie que de quelques secondes par an et il n'y a aucun besoin de la remonter ni de la remettre à l'heure.

Enfin, un petit bronze étrusque sur lequel mes yeux se posent souvent. Cela représente, paraît-il, « le serviteur ».

Nous avons plein de lumière, d'abord par la porte-fenêtre qui donne sur le jardin et qui nous inonde de soleil, ensuite par un certain nombre de lampes, car j'ai horreur de la pénombre.

J'oubliais une commode blanche, scandinave aussi, à côté du lit, une armoire à trois portes du même style, qui contient ce dont nous avons besoin Teresa et moi.

Les vestons, que je ne porte jamais, les pantalons hors saison, les piles de linge inutiles, tout ce qui faisait partie de ma vie à Epalinges est là-haut, dans la Tour.

De temps en temps, nous y grimpons pour aller prendre un objet quelconque. Nous n'avons qu'un jardin à traverser. Car les trois tours, d'une douzaine d'étages (j'ai acheté mon appartement au huitième étage de l'une d'elles), sont séparées par un jardin fort bien entretenu qui, les jours de soleil, grouille de bébés tandis que les mamans sont assises sur des bancs.

En sortant de la petite maison rose, comme je l'appelle, je me trouve dans une sorte de cour. Tout l'ensemble, les tours et les trois maisons dont j'ai acheté une, la plus petite, faisait partie d'une grande exploitation agricole, lorsque Lausanne était plus petite, et les trois maisons adjacentes, au milieu desquelles se trouve la mienne, formaient la demeure du propriétaire.

Si je dis la maison rose, c'est parce que les trois maisons ont leur façade peinte en rose et nous n'avons pas le droit d'en changer la couleur, pas plus que je n'ai le droit de toucher à mon cèdre qui m'appartient par acte notarié mais qui est classé monument historique.

J'oublie que, dans un coin de notre chambre, une porte donne sur la salle de bains que j'ai installée. Quand je dis salle de bains, c'est très prétentieux, car elle ne comporte pas de baignoire. Il est vrai que je ne me sers jamais que d'une douche.

Le couloir franchi, c'est le domaine commun. Ce n'est pas chez nous. C'est davantage le domaine de mon fils Pierre, de Yole, la cuisinière, et de Josefa qui vient chaque matin faire le ménage.

La salle à manger est toute blanche aussi, scandinave aussi, d'une simplicité monacale, avec sa grande table ovale. Ensuite, c'est la cuisine, avec tous les instruments modernes qu'on a inventés pour augmenter le chiffre d'affaires des commerçants. Il y a une arrière-cuisine, le congélateur, immense, la machine à laver la vaisselle et la machine à laver.

Cette petite maison peut se remplir autant qu'un œuf. Au premier étage, que je connais mal car je ne l'ai vu qu'une fois quand j'ai acheté la maison et je ne peux plus provisoirement monter et descendre les escaliers, se trouvent le studio de mon fils, tout en boiseries anciennes, sa chambre, sa salle de bains, la chambre de Yole, notre cuisinière, et sa salle de bains.

Mais cela, c'est un domaine qui m'échappe.

Je suis devenu, comme Xavier de Maistre, l'homme d'une seule pièce, avec la différence que, moi, j'ai Teresa pour m'y tenir compagnie.

Il nous arrive de rester face à face sans parler, sans rien faire, avec parfois un coup d'œil complice, car nous savons au même moment à quoi chacun de nous pense.

Nous parlons relativement peu, sauf au cours de nos promenades. Au début, après ma cassure de la hanche, je ne faisais que quelques pas dehors. Puis je suis allé jusqu'au bout de l'allée qui ouvre sur l'avenue des Figuiers et j'étais effrayé par le bruit et le va-et-vient des autos.

Maintenant, nous avons agrandi le cercle de nos promenades.

L'une de nos préférées, si étrange que cela puisse paraître, est le cimetière des incinérés. Cela ne ressemble pas à un cimetière. C'est un parc admirable, plein de beaux arbres au pied desquels il nous arrive, comme font les vieux, de nous asseoir sur un banc.

Il nous arrive aussi, dans l'autre sens, lorsque nous avons envie de marcher sur les trottoirs, d'aller jusqu'à ce que j'appelle « le village ». En effet, l'avenue de Cour, qui commence à Ouchy, qui sent encore la ville, se termine, près de chez nous, par un faubourg où l'on trouve encore des petites boutiques familières, le charcutier, le boulanger, le boucher, et, à deux pas, le cordonnier, le matelassier, le menuisier. On dirait presque la reproduction d'un vrai village selon mon cœur.

Non, Messieurs qui me demandez si je m'ennuie et si je ne manque pas d'activités, je ne m'ennuie jamais et mon activité intérieure dépasse probablement vos agitations vaines.

Samedi 21 septembre 1974.

Parce que j'ai dicté hier quelques paragraphes, ou pour toute autre raison, je me sens repris par ma manie, sinon par mon besoin, de dicter dans mon magnétophone.

Ce matin, j'ai fait une grande promenade; j'ai lu presque entièrement la *Tribune*. Je ne suis cependant pas allé jusqu'au bout, comme d'habitude, ce que je ferai tout à l'heure, parce que j'avais envie de dicter.

Je n'attache d'ailleurs aucune importance à ces dictées. Elles ne sont ni philosophiques, ni politiques, ni littéraires. J'ai déjà dit l'horreur que j'avais de la littérature avant que les surréalistes, parmi lesquels je devais plus tard compter quelques amis, se soient élevés justement contre cette littérature.

J'ai quatre enfants, je l'ai déjà dit. Ils ont passé leur enfance dans les lieux les plus divers. Marc, par exemple, a vécu en Floride, aux maisons essayant de rappeler le style colonial, puis à Carmel-by-the-Sea où, au contraire, à l'extrême ouest des États-Unis, on a reconstitué une petite ville de la Nouvelle-Angleterre où les rentiers et les artistes qui y habitent sont presque tous originaires des environs de Boston ou de Plymouth.

Johnny a vécu dans le désert de l'Arizona, ainsi que Marc. Ensuite ils ont habité tous une grande propriété dans le nord du Connecticut.

Après dix ans d'Amérique, en rentrant en France, nous avons occupé provisoirement une immense villa au-dessus de Cannes.

Ensuite, nous avons habité un château du XVIe siècle où il y avait encore trois cachots.

Or, chacun à son tour a dessiné des maisons, comme le font tous les enfants. J'ai été fort surpris de m'apercevoir que les maisons des uns et des autres se ressemblaient comme elles ressemblaient à celles de leurs petits camarades : des maisons conventionnelles qui n'avaient aucun rapport avec les endroits où ils avaient vécu.

Il en est de même pour la flore. En Arizona, nous étions entourés de toutes les variétés de cactus, y compris de ces fameux candélabres de deux à trois mètres de haut qui font le ravissement des touristes.

Pas un de mes enfants n'a dessiné un cactus ou un candélabre. Ils ont dessiné des arbres qu'ils n'avaient jamais vus mais qui étaient encore pour eux de véritables arbres.

Si cette pensée m'est venue ce matin, c'est que j'ai fait le tour d'une partie du quartier. A cinquante mètres de la Tour, à moins encore de notre petite maison, il y a une église minuscule que j'appellerais plutôt une chapelle. C'est l'église évangélique Saint-Jean. J'ignore à quoi correspond exactement le terme « église évangélique ». Mais je suis enchanté d'en voir le toit, le clocheton, et d'en entendre, à heures fixes, sonner les cloches. Il existe une autre église, catholique celle-ci, un peu plus haut, mais le bruit des cloches ne nous parvient qu'amorti.

Enfin, face à notre petite maison, il y a une école. Une sonnerie vibrante appelle les enfants à neuf heures puis c'est la récréation, le déjeuner, une autre récréation accompagnée du piaillement suraigu habituel aux écoles de jeunes enfants.

Je n'ai pas cherché ce voisinage. Il m'a été donné par surcroît. Et, dès les premiers jours, je m'en suis trouvé tout joyeux.

Les villages aussi ont leur église, leur école. Je me sentirais moins chez moi, dans un monde réel, relié au passé par des centenies, sinon par des millénaires, sans ces cloches, sans cette sonnerie stridente de l'école et ce tintamarre joyeux des récréations.

C'est ce qui fait que, comme nous sommes aux confins de la ville, il m'arrive de parler de notre quartier non pas comme s'il appartenait à un grand ensemble mais comme d'un village isolé.

C'est un peu comme les maisons que dessinaient mes enfants et que dessinent tous les enfants, et qui sont toutes calquées sur un même modèle datant d'il y a bien longtemps.

J'ai l'impression qu'il m'arrive souvent de me répéter. Après deux mois, après cinq mois, les mêmes pensées me reviennent à l'esprit. Je ne me souviens pas les avoir eues précédemment et je dicte à nouveau.

S'il m'arrive de relire, pour en faire la toilette, ces textes, je ne couperai pas les doublons. Je crois en effet qu'ils ont autant de signification que le texte lui-même. C'est un peu comme certains rêves que l'on fait plusieurs fois, qui reviennent après plusieurs années, et qui pourraient peut-être nous fournir des enseignements sur nous-mêmes.

J'ai décrit hier notre chambre. J'ai décrit le lit entouré des deux côtés de rembourrages. Il est recouvert, pendant la journée, d'une couverture de guanaco.

Depuis quelques mois, depuis que je suis rentré de clinique, mes deux oreillers y sont posés en permanence. Au début, lorsque la plus grande partie de mes nuits se passait dans mon fauteuil où je ne pouvais même pas lire, il m'arrivait plusieurs fois de m'étendre sur ce lit-divan. Les oreillers étaient toujours là pour m'accueillir.

Ils y sont encore. Je les garde à leur place presque par superstition. Mais chaque fois que je crois avoir le désir de m'étendre, je me relève après cinq ou dix minutes.

Un jour, un magnifique jour viendra où les deux oreillers disparaîtront.

Dimanche 22 septembre 1974.

Premier jour de l'automne. Ce matin, il pleuvait mais nous sommes quand même allés chercher les journaux dans la Tour. Maintenant nous venons de nous promener au soleil.

Hier, j'ai pris une décision qui m'a surpris le premier. Lorsque j'étais jeune, nous étions pauvres. Mon père, comptable, gagnait moins qu'un ouvrier spécialisé et sa tenue devait toujours être impeccable. Il tenait aussi à ce que nous fassions nos études, mon frère et moi, dans des écoles payantes, comme on disait alors, c'est-à-dire chez les Petits Frères, puis chez les Jésuites.

L'ouvrier, lui, se contentait toute la semaine de porter un bleu de travail et il n'avait besoin que d'un costume pour le dimanche. Ses enfants, pour la plupart, allaient à ce que les Petits Frères appelaient dédaigneusement « l'école gratuite ».

Nous faisions notre repas principal à midi, ce qui est la coutume en Belgique, et c'est à midi aussi que nous mangions la soupe.

Le soir nous avions un menu plus frugal et plus économique.

Par exemple, des pommes de terre en robe de chambre avec un morceau de beurre et des tartines. Or, hier, je me suis surpris à avoir la nostalgie des pommes de terre en robe de chambre. Il est vrai que je demandai d'y ajouter une tranche de jambon, ce qui eût été un luxe autrefois.

Certains soirs, les pommes de terre étaient rôties au four. Enfin, il y avait la charcuterie : des saucissons divers, tous bon marché, ou des sardines — nous avions droit à deux sardines par personne — toujours avec des tartines, d'énormes piles de tartines que je vois encore au milieu de la table. C'était ma mère qui les beurrait, car elle prétendait que nous devions avoir des ancêtres maçons parce que nous avions tendance à étendre largement le beurre sur le pain.

J'ai retrouvé ainsi, presque à mon insu, en rêvassant, des

soupers de mon enfance et il m'est venu une sorte de hâte de les goûter à nouveau.

Ce n'est pas un goût particulier de la pauvreté, bien que j'aie tendance, depuis trois ans, à éliminer les choses chères ou luxueuses.

Il y a, dans la classe moyenne (j'aime mieux ce mot que le mot pauvre), une sorte de confort moral et physique. On ne regarde pas le voisin pour le dépasser mais pour faire autant que possible comme lui, de sorte qu'il finit par régner une véritable égalité.

Mon quartier d'Outremeuse, que j'ai revu à la mort de ma mère, n'a pas changé. Il est toujours composé de rues de la même largeur, avec de petites maisons à un étage, toutes d'égale hauteur, et le seul luxe consiste dans les rideaux de guipure, car les Belges ornent leurs fenêtres pour l'extérieur et non pour l'intérieur. Rares sont les maisons qui n'ont pas sur l'appui de fenêtre un cache-pot en cuivre martelé contenant une plante verte.

Ce soir, je mangerai des pommes de terre en robe de chambre avec une tranche de jambon et j'espère retrouver la bonne saveur d'autrefois.

Lundi 23 septembre 1974.

J'ai presque honte d'écrire que nous sommes à la charnière de deux mondes, car il y a belle lurette que tous les journaux, les magazines, les ouvrages d'économie politique le répètent. Le monde d'hier, nous savons ce qu'il était. Le monde de demain, personne n'est d'accord dans ses prévisions.

Deux mots reviennent sans cesse : pauvres et riches, en ce qui concerne les individus, pays pauvres et pays riches en ce qui concerne les masses.

J'ai été pauvre, individuellement et dans ma famille. Et, pendant cinquante ans, les gens comme les journaux m'ont considéré comme un homme riche, parlant de centaines de millions quand ce n'était pas de milliards.

Or, je n'ai jamais été riche. Dès mes premiers Maigret, c'est vrai, j'ai gagné beaucoup d'argent, car ils ont été traduits presque immédiatement dans un grand nombre de langues et ils ont atteint des tirages importants.

Mais j'avais une telle faim de vie, de tous les genres de vie, que l'argent me coulait entre les doigts sans que je m'en préoccupe. Si je voyais un vieux château qui me plaisait, je l'achetais ou je le louais s'il n'était pas à vendre, je le modernisais, j'y faisais maintes transformations coûteuses et six mois ou un an après j'en étais dégoûté et je le revendais pour une bouchée de pain, car je n'ai jamais su attendre le client ni marchander avec lui.

Je connais fort peu les banques mais, que ce soit en France, en Amérique, je connais bien les notaires, car rien ne m'arrêtait dans mon désir de telle propriété, de tel bateau, de tel genre de vie.

Est-ce ce qu'on appelle être riche? D'un côté, oui, puisque je satisfaisais tous mes désirs et ceux de ma famille.

Dirais-je, maintenant, que je suis pauvre? J'ai tendance à le croire, comme des millions d'êtres humains qui ont connu la prospérité sont aujourd'hui ou seront demain de pauvres gens.

Lors d'une émission télévisée, à la BBC de Londres, je me souviens de ma conclusion. Le journaliste m'avait demandé : « Quel est, à votre avis, Monsieur Simenon, l'homme le plus intéressant ? »

Il a été désarçonné quand j'ai laissé tomber avec assurance et spontanéité : « Le clochard. »

Depuis mon enfance j'ai eu la hantise du clochard, de l'homme qui n'a besoin de personne, besoin d'aucun confort, d'aucun des gadgets qui aident plus ou moins à vivre, de l'homme qui n'a pas l'orgueil d'occuper telle ou telle place. Son seul orgueil est de se suffire à lui-même et de se contenter de la vie telle que chaque jour la fait.

Je ne suis pas encore clochard. Je ne le serai peut-être jamais, bien que la crise du papier dans le monde diminue, sinon empêche la plupart des rééditions.

En tout cas, c'est avec joie, avec une certaine volupté que je cesse d'être un riche pour devenir petit à petit un pauvre.

Avant la guerre, à l'époque dite coloniale, j'ai vécu un peu partout dans ce qu'on appelle les régions déshéritées, le Centre Africain, les Indes, l'Amérique du Sud et l'Amérique Centrale. J'ai vu des enfants au ventre gonflé par la sous-alimentation, des vieillards qui n'étaient plus que des squelettes vivants. Autrement dit, j'ai vu des milliers, des millions d'hommes qui avaient faim pendant qu'en Europe on ne parlait que de voitures, de yachts somptueux, de non moins somptueuses maisons de campagne ou de villas au bord de la mer.

Tout le monde ne mange pas encore comme il le devrait. Mais j'ai l'impression que nous assistons à un retournement de la situation. Qui sait si bientôt nos ouvriers et nos ingénieurs ne seront pas des personnes déplacées au bénéfice des pays, hier misérables, aujourd'hui les plus riches du monde ?

Je ne suis pas vicieux. Je n'ai jamais fait de politique. Je n'ai aucune théorie économique.

J'avoue, cependant, que cette perspective ne me déplaît pas tellement.

Mercredi 25 septembre 1974.

Dans je ne sais quelle pièce de théâtre, probablement de Feydeau, un colonel à la retraite arpente la scène en répétant, tout en lissant sa moustache blanche : « Ça sent la poudre! ça sent la poudre! »

J'ai presque envie de dire : « Ça sent la guerre. »

Pas la vraie guerre. Pas la guerre mondiale qu'on nous annonce depuis je ne sais combien d'années. Pas non plus les petites guerres qui se produisent un peu partout de par le monde. Mais y a-t-il de petites guerres? Du moment que des hommes meurent, et même des femmes et des enfants, on ne peut parler de « petit ».

Non, quand je dis que ça sent la guerre, c'est que depuis un certain temps on devine confusément un changement dans l'esprit du public, dans ses attitudes. Et cela rappelle à ceux qui les ont vécues la guerre de 39 et la guerre de 14.

Certains pays ont déjà manqué de sucre. Dans d'autres, les pâtes alimentaires sont rationnées et ont atteint des prix extraordinaires.

On ne se chauffera plus comme on voudra mais comme le gouvernement en décidera. Il n'y a que les voitures que jusqu'à présent on respecte, les sacro-saintes voitures qui sont paraît-il indispensables au moral et à la prospérité d'un pays.

Ce que j'ai l'impression de sentir, moi, c'est cette sorte de rapprochement des gens qui se produit, surtout dans le peuple et les classes moyennes, au moment des guerres ou des graves pénuries.

Certes, toute une classe sociale continue à considérer le caviar, le foie gras, le champagne, comme indispensables.

Certes, il y a les accapareurs, les tripoteurs de toutes sortes qui font fortune.

Mais le vrai peuple, celui qui justement souffre des restrictions, a tendance à se serrer les coudes et j'ai presque envie de dire, sans trop exagérer, avec une certaine bonne humeur. Ces derniers jours, à la radio, dans les hebdomadaires, j'ai entendu ou lu des interviews de gens chez qui on sentait presque la nostalgie de la vie difficile, d'une certaine misère, comme si celle-ci les débarrassait de tous les autres soucis.

J'ai fait la queue, en 1915 et 1916, pour aller chercher les deux cent cinquante grammes de pain alloués par personne. Contrairement à ce que l'on imagine, à part certaines exceptions, on ne voyait pas de mines longues mais, au contraire, on plaisantait les uns avec les autres comme pour se donner du courage.

Je lis aujourd'hui dans un hebdomadaire les chiffres de rationnement pendant la dernière guerre. Ils sont effrayants. En 1941, la ration quotidienne de pain par jour était de deux cent quarante grammes et la ration hebdomadaire de viande de deux cent cinquante grammes. Dans l'hiver 43-44 les Parisiens ne reçoivent que trois cents grammes de viande par mois et à partir de 1944 le lait condensé n'est plus délivré que sur ordonnance. Les rations s'amoindrissent d'année en année. Elles tombent, en 1944, à huit cent cinquante calories par jour.

En arriverons-nous là? Je n'en sais rien. Mais ce que je sais, c'est que, en dehors des exceptions dont j'ai parlé tout à l'heure, le coude à coude redeviendra plus serré que jamais et on ressentira à nouveau des sentiments humains pour son semblable.

Car, même dans une queue qui attend sa ration quotidienne de pain ou ses deux ou trois pommes de terre, on trouve toujours quelqu'un de plus malheureux que soi à réconforter.

Jeudi le 26 septembre 1974.

De temps en temps, celle que j'appelle mon ex-femme, ma seconde ex-femme plus exactement, puisque j'ai été marié deux fois, dont une fois à Reno, Nevada, parce que c'est le seul endroit où l'on divorce à dix heures du matin et où l'on se remarie à trois heures de l'après-midi du même jour...

... Celle que j'appelle mon ex-femme, dis-je, car, si nous ne sommes pas divorcés, il y a dix ans que nous n'avons pratiquement aucun contact, éprouve le besoin de me tirer dessus à boulets rouges. Cela signifie qu'elle établit avec ses deux avocats, car il lui en faut deux, un à Genève et un à Lausanne, une liste de ses revendications.

Ces revendications sont de plus en plus aberrantes et ne tiennent aucun compte de la réalité. Si je devais les satisfaire, il faudrait que je rappelle tout de suite Johnny de Harvard, Marie-Jo de Paris, et que j'annonce à Pierre qu'après ses six ans de collège, il n'est pas question de faire son gymnase et d'aller à l'université.

Aux dernières exigences de mon ex-femme, j'ai répondu, d'accord avec mon avocat, qui n'est pas un chicanier mais un honnête homme, par une série de non.

Je ne céderai sur aucun point, j'y suis décidé, et il m'y encourage. Dussé-je aller jusqu'au Tribunal Fédéral, qui est la plus haute instance en Suisse, je dirai toujours non.

La lettre contenant la liste des nouvelles exigences, envoyée par le truchement des deux avocats, j'en ai envoyé copie à chacun de mes enfants. C'est la première fois que je les mets au courant de ma véritable situation financière, de ce que me coûte leur mère et de ce qu'elle me coûterait si je cédais à ses réclamations.

Marc m'a écrit une lettre chaleureuse me donnant pleinement raison, ajoutant qu'il était un grand garçon maintenant (il a trente-cinq ans) et que, quoi qu'il arrive, il n'attendait pas mon héritage.

Marie-Jo m'a téléphoné pour me dire à peu près la même chose.

Quant à Pierre, comme je crois déjà l'avoir dicté, il a été le premier à m'approuver. Il a même trouvé un mot que je ne savais pas dans son vocabulaire, pour qualifier la conduite de sa mère : mégalomanie.

Celle-ci, en effet, reçoit de moi, mensuellement, plus que je ne dépense pour moi-même et pour les trois enfants. Or, elle écrit cyniquement (j'allais dire innocemment, car ce serait trop invraisemblable qu'elle soit dans tout son bon sens) que ce que je lui verse ne lui permet pas de vivre *selon son rang*.

J'ai été écœuré, je l'avoue. Quel est son rang? Moi, je me suis contenté d'écrire toute ma vie sans me préoccuper de rang, ni de statut social. Je vis dans une seule pièce, laissant le reste de ma petite maison à Pierre et à Yole.

Mais je défendrai mes enfants jusqu'au bout, non pas parce que je crois au patrimoine, ni à la transmission automatique de ce qu'on appelle les fortunes. Il m'est arrivé de dire à la radio ou à la télévision que j'étais un adversaire de l'héritage qui nous vaut une bande insolente de ratés et d'inutiles.

Mais l'héritage des veuves que l'on trouve sur tous les paquebots de luxe, les avions de luxe et les hôtels de luxe du monde passant leur temps à épater les foules, j'y crois encore moins.

On sera peut-être étonné de m'entendre parler ainsi. Je le fais pourtant, enfin, en toute bonne foi et en toute sincérité.

Certains ont cru voir dans mon livre *Quand j'étais vieux* une sorte de chant d'amour. J'étais obligé de tricher avec la réalité parce que mon ex-femme, qui vivait encore dans la même maison que moi, se précipitait chaque jour vers mon tiroir pour lire les lignes que j'avais pu écrire dans mes cahiers.

J'espérais encore la sauver de ce que mon brave Pierre appelle sa mégalomanie, alors qu'il n'a jamais entendu de mes lèvres un mot de critique contre sa mère.

Un proverbe dit : « On lave son linge sale en famille. »

C'est faux, surtout quand on a atteint une certaine notoriété. On vit devant le public. Le public vous juge. Il est infiniment plus intelligent qu'on ne croit et même plus intelligent que les journalistes.

Ce n'est pas une critique envers les journalistes, dont j'ai été, que j'admire souvent et que je respecte. Mais il y a, chez les lecteurs, une sorte de septième sens qui leur fait rétablir les vérités que les journaux n'osent pas dire.

Je ne me plains de rien. Je subis, comme tout le monde, le sort de notre époque et je ne suis pas loin de m'en féliciter. Je crois en effet, depuis longtemps, qu'une sorte de révolution plus ou moins mondiale doit se produire. J'appelle révolution le problème angoissant, qu'enfant de pauvre j'ai toujours compris : la différence entre le sort des enfants de riches et les enfants du peuple.

Cette révolution est en train de se faire plus ou moins pacifiquement sous nos yeux. Le fascisme et le capitalisme se défendent encore ici et là, déjà avec moins de conviction. Quant aux gouvernements quels qu'ils soient, l'homme de la rue n'y croit plus.

Ce sont à ses yeux et aux miens des pantins heureux de détenir un certain pouvoir et de vivre dans un monde aussi artificiel que la cour de Napoléon, celle de Louis-Philippe où Guizot disait aux bourgeois français : « Enrichissez-vous. »

Pas au peuple, car le peuple n'avait pas les moyens de s'enrichir. Mais aux riches de s'enrichir davantage.

Vendredi 27 septembre 1974.

J'ai dit, incidemment, il y a quelques jours que, lorsque j'étais enfant, il m'est arrivé souvent d'aller faire la queue devant les bâtiments transformés en « ravitaillement ». On n'obtenait pas grand-chose. Très peu de choses même. Une fois par mois, cependant, c'était fête. La Hollande, qui était neutre, avait obtenu d'envoyer pour chaque famille belge un pain blanc d'un kilo. Blanc! Le mot a son importance. Cela n'arrivait qu'une fois par mois et on dégustait ce pain religieusement comme si c'était le meilleur des gâteaux.

J'ai revu, comme je l'ai dit, beaucoup d'autres queues. Mais celles qui m'ont le plus impressionné, dans n'importe quel pays que ce soit, car la plupart sont passés par là, c'est la queue des chômeurs venant toucher leur allocation.

Contrairement à une certaine gaieté qui régnait devant les bureaux de ravitaillement, on voyait là, surtout, des hommes qui avaient honte. Honte de quoi? De ne plus travailler. De ne plus gagner leur pain. D'être entretenus par l'État.

Ils n'y étaient pour rien. Ils n'étaient coupables de rien, sinon de subir les effets internationaux d'un capitalisme imbécile.

C'est à peine s'ils osaient vous regarder en face. Les conversations, entre eux, étaient rares. Ce sont les queues qui m'ont le plus impressionné et dont le souvenir m'a hanté toute ma vie.

Il y avait aussi, à New York, lorsque tous les jours des financiers sautaient par la fenêtre d'un trentième ou d'un cinquantième étage, des hommes qu'on appelle des cadres, des hommes instruits, fiers de leur savoir, de leurs réalisations. On les trouvait dans une encoignure. Ils polissaient avec soin une pomme qu'ils tenaient à la main. Leurs vêtements étaient encore élégants, bien coupés, pas encore élimés. Mais c'était leur visage qui s'élimait. A votre approche, ils faisaient deux ou trois pas timidement en montrant la pomme.

Cela m'est arrivé d'en rencontrer à Paris aussi. C'était aux Champs-Élysées, à la tombée du jour. Un homme d'âge moyen, élégant dans son pardessus noir, était comme collé à une palissade que recouvraient des affiches de cinéma. Il semblait attendre quelqu'un, mais le regard anxieux qu'il levait vers les passants m'a fait comprendre qu'il n'en était rien. Il attendait quelqu'un, oui, n'importe qui, qui lui permettrait à lui et à sa famille de manger quelque chose ce soir-là.

Je ne veux pas me faire meilleur que je ne suis. Mon réflexe a été de prendre un billet de mille francs dans mon portefeuille et de le lui pousser dans la main. Il m'a regardé, puis il a regardé le billet sans en croire ses yeux, puis il m'a regardé à nouveau et, sans dire merci, car il n'aurait pas pu parler, il s'est éloigné rapidement le long du trottoir.

Hélas! je crois que nous reverrons tout ça. On nous trompe sciemment. Rares sont les gouvernements qui osent avouer à quel point la situation mondiale est en déséquilibre.

Au retour des pays de l'Est, j'ai écrit jadis une série d'articles intitulée : « Peuples qui ont faim. »

Maintenant aussi on parle de la « faim dans le monde », mais cela vise seulement ce que nous appelons cyniquement les pays sous-développés.

Demain, ce ne seront plus seulement les Sud-Américains, certains pays noirs, d'autres pays d'Asie qui auront faim.

Nous allons devenir à notre tour des pays sous-développés et peut-être nous arrivera-t-il aussi de polir une pomme devant un building de la Cinquième Avenue ou de nous coller à une palissade aux Champs-Élysées.

Le 28 septembre 1974.

Mon jardin est petit, un des plus petits de Lausanne certainement, mais il n'en supporte pas moins le plus grand arbre de la ville, un des deux cents et quelques cèdres du Liban apportés en Suisse il y a deux siècles et dont il est le dernier survivant.

Ce jardin a l'avantage que je l'ai sous les yeux toute la journée. Je le vois de mon fauteuil. Deux fois par jour, les oiseaux s'amassent dans les lilas et les autres arbustes qui le bordent et attendent que Teresa aille leur donner leurs graines biquotidiennes.

Ces oiseaux, je les observe je ne sais combien de temps. Ce sont des moineaux et surtout des mésanges de races différentes. Malgré la pluie battante, ils sont là pendant que je dicte.

Au début que nous habitions la maison rose, ils n'étaient que quelques-uns, des moineaux, à venir picorer l'herbe du jardin. Puis, petit à petit, la troupe s'est renforcée, des mésanges sont arrivées, des merles, à des heures différentes, et un couple de tourterelles.

Tout cela, jusqu'ici, fait bon ménage. Mais, quand je pense aux lois biologiques, je me demande s'il en sera de même cet hiver lorsque le froid et la neige amèneront d'autres oiseaux encore.

En quelques mois, ils ont presque triplé en nombre. Je m'attends à une véritable invasion.

Qu'adviendra-t-il de cette paix qui règne actuellement entre eux? Je suis persuadé que les plus anciens ou les plus forts voudront chasser les intrus, car pour eux, ce seront des intrus, des étrangers qui viennent leur arracher le pain du bec.

J'ai assisté à cela, il y a une quarantaine d'années, en Afrique Centrale. L'Afrique était un des pays les moins peuplés du monde, quoique à cette époque on n'ait jamais pu évaluer le nombre d'hommes qui l'habitaient.

Toujours est-il qu'on pouvait parcourir des kilomètres de brousse ou de forêt sans rencontrer un être humain. Plus d'une centaine de tribus étaient éparpillées ainsi à travers le Congo. Leur agriculture était élémentaire. Une tribu, emportant ses quelques meubles, si on peut appeler ça des meubles, et ses quelques outils, décidait d'abandonner un site dont ils avaient épuisé en un an ou deux la couche supérieure de la terre.

Ils s'en allaient plus loin, choisissaient une forêt, la brûlaient, installaient leur village, et, sur cette terre enrichie par les cendres, traçaient du bout d'un bâton des sillons pas plus profonds que deux ou trois centimètres. Ils y semaient leurs graines. Les hommes chassaient. Les femmes écrasaient le mil pour en faire des sortes de galettes ou de bouillies.

Jusqu'à ce qu'une tribu voisine, en quête, elle aussi, de nouvelles terres, tente d'envahir le village. C'était la guerre. Une guerre féroce, où, dans beaucoup d'endroits, les vaincus étaient mangés.

C'était déjà une question d'espace vital. L'Afrique avait beau être grande, il fallait toujours changer de place parce que les moyens de culture rudimentaire y obligeaient les populations.

Est-ce tellement différent de ce qui s'est passé depuis des siècles en Europe, en Asie, partout ailleurs ?

L'homme aussi a besoin de son espace vital. On le voit par exemple avec l'Italie, pourtant fertile, belle et douce, qui est obligée, chaque année, de se débarrasser d'une partie d'une population trop lourde à porter.

C'est vrai pour d'autres pays aussi.

Mais c'est vrai pour l'homme tout seul également.

Il n'y a qu'à voir ce qui se passe à New York, voire dans des villes comme Paris, qui s'agrandissent démesurément et qui s'entourent d'une ceinture trop large d'immeubles où s'entassent les plus déshérités de la population.

On appelle cela les villes-dortoirs. On prend le train le matin. On le prend à nouveau le soir. Puis une fois à Paris le métro pour gagner son lieu de travail. La femme qui n'a pas de métier et qui élève ses enfants s'y sent aussi isolée que dans un désert. Les jeunes gens, qui se considèrent comme frustrés, forment des bandes dont l'ultime plaisir est, le soir, d'attaquer les isolés ou de faire irruption dans un bal populaire de la banlieue et de frapper à tour de bras qui que ce soit, à coups de chaînes de vélo et d'autres armes improvisées.

La police s'avoue impuissante. Paris, en somme, s'est peu à peu entouré d'une ceinture menaçante qui l'encercle complètement et où la violence augmente chaque semaine.

Mais la violence n'a-t-elle pas toujours existé et au nom du Christ les chevaliers de jadis n'envahissaient-ils pas le Moyen-

Orient, tuant les Infidèles, c'est-à-dire des hommes qui étaient chez eux, qui vivaient chichement, mais qui avaient le tort de ne pas avoir la même foi que les attaquants en une religion déterminée?

La violence est de tous les temps. Caïn, nous dit-on, a tué son frère Abel. Dieu lui-même n'avait-il pas ordonné à Abraham de poignarder son fils Isaac, quitte à arrêter son bras au dernier moment?

Pourquoi la violence? Personnellement, je crois qu'elle est engendrée par la peur. Les hommes ont peur des autres hommes. Ils veulent se sentir forts, se croire forts.

Je l'ai vu en Afrique aussi, en traversant entre autres les denses forêts inquiétantes de la tribu des hommes-léopards. Une fois devenu adulte, le jeune homme doit faire ses preuves avant d'entrer dans le monde des adultes. Pour cela, on lui recouvre la tête d'un bonnet de léopard, le dos d'une peau de léopard et ses doigts sont garnis de griffes de fer aussi acérées que celles du fauve.

Il doit passer ses examens, allais-je dire. Cela consiste à montrer qu'il n'a pas peur, qu'il est vraiment un homme, donc à tuer.

Je lisais récemment le récit de la guerre des Gangs, à Londres entre 1962 et 1967. Elle était menée par deux frères, dont l'un était évidemment schizophrène. C'était des jumeaux. Ils sortaient du quartier le plus misérable de l'Eastside d'alors, c'est-à-dire d'un quartier où, dès l'âge de cinq ou six ans, il fallait apprendre à se défendre dans la rue, sinon à attaquer.

Les deux frères, eux aussi, ont adopté l'épreuve des hommes-léopards. N'entraient dans leur gang que ceux qui avaient passé l'épreuve capitale : tuer.

Eux-mêmes ont éprouvé le besoin de le faire pour montrer qu'ils étaient de vrais chefs.

Cela ne se passait pas dans un lointain passé, ni dans un pays qu'on appelait alors sauvage. Cela se passait près de nous, dans une des capitales les plus prospères, les plus policées du monde.

Je ne cherche pas à prouver une thèse ou une autre. Je ne suis pas sociologue, mais je regarde les petits oiseaux de mon jardin qui deviennent si nombreux que l'on doit acheter chaque semaine un peu plus de graines. Ainsi, dans l'abondance, ils ne se battent pas.

Je suis toujours en train de les observer tout en dictant et en pensant à ce qui arrivera cet hiver.

Post-scriptum. Teresa me fait remarquer que la peur peut être remplacée ou avoir les mêmes effets que certaines inégalités sociales. Aujourd'hui, en effet, la richesse s'étale orgueilleusement, des yachts qui ressemblent à des paquebots sont à l'ancre dans les ports de luxe, les voitures des riches défient les petites voitures des pauvres et il est plus difficile que jamais, malgré les études plus ou moins gratuites et tous les diplômes, de grimper d'un seul échelon dans l'échelle sociale.

En exagérant un peu, tel le bébé est né, dans une famille déterminée, à un échelon déterminé, tel il restera toute sa vie. Une des rares exceptions est de passer du rang de col bleu, c'est-à-dire d'ouvrier, à celui de col blanc, c'est-à-dire à celui d'employé.

Mais l'employé ne gagne pas plus que l'ouvrier et est obligé, comme je l'ai tellement entendu dire dans ma famille, de « tenir son rang ».

Autrement, des hommes, en effet partis de rien, mais sans trop de scrupules, arrivent à la fortune et même à se faufiler dans les rangs de ceux qui gouvernent les pays.

Parfois, on les retrouve en prison. Presque toujours, leur cynisme et leur savoir-faire leur assurent des protections qui les mettent à l'abri des poursuites.

On n'en peut pas moins dire : tel tu es né, tel tu resteras.

Et je ne tiens pas compte des gènes ni du fait que notre destin, d'après les spécialistes, est inscrit dans nos cellules dès que nous commençons à gigoter dans le ventre de notre mère.

Dimanche 29 septembre 1974.

Encore un beau dimanche, c'est-à-dire ensoleillé, mais venteux, ici à Lausanne et dans toute la Suisse. Les voitures se précipitent vers Morges, une calme et délicieuse petite ville où a lieu cet après-midi la fête des vendanges, avec plusieurs fanfares venues de différents coins de Suisse. Hier soir, danses dans les rues, tout à l'heure, chars fleuris avec des personnages en chair et en os, surtout des jeunes filles en tenue assez légère qui grelotteront tout au long du parcours. On comptera, comme les autres années, plus de cent mille personnes, peut-être cent cinquante à deux cent mille, pour participer à la fête.

En y pensant, cela me rappelle les comédies du siècle dernier, celles de Labiche en particulier, d'Augier, les opérettes de Meilhac et Halévy, etc. A les relire, le monde entier paraît en paix, engourdi dans son bien-être et dans sa sécurité.

Et il existait bien une sécurité, en effet, celle de la rente. On achetait des bons d'État, qui rapportaient invariablement, presque d'un bout du siècle à l'autre, du trois pour cent.

De sorte que la phrase la plus souvent prononcée dans les comédies était :

— J'ai acheté cinq mille francs de rente.

C'est-à-dire que cet acheteur-là était assuré de toucher cinq mille francs par année toute sa vie et de les léguer à ses enfants, cinq mille francs-or, bien entendu.

Mais si l'on y regarde de plus près, l'Amérique du Nord et l'Amérique du Sud se sont battues pendant ce siècle-là, on se battait en Afrique et dans les pays arabes, dans le Proche-Orient et en Asie.

Seulement, c'était loin, et il n'y avait pas la télévision. Les provinciaux n'ont appris qu'après coup le siège de Paris par les Allemands, en même temps qu'ils découvraient, horrifiés, que dans les meilleurs restaurants on servait ouvertement du rat dont la portion était très chère. Les particuliers devaient l'acheter au marché noir.

Notre siècle est certainement différent puisque nous avons déjà eu deux guerres mondiales et que personne ne connaît plus la valeur de telle ou telle monnaie; personne non plus n'est assuré d'avoir une rente quelconque jusqu'à la fin de ses jours ni de léguer quoi que ce soit à ses enfants.

Il y a en outre la radio, la télévision, qui vous apprennent les événements presque au moment même et parfois au moment même où ils se produisent. Ce sont presque toujours des catastrophes.

Chaque jour, et chaque fois que je rentre de promenade, j'ouvre mon poste aux heures des nouvelles et j'ai toujours la même appréhension : Combien de morts? Quel est le prochain malheur en vue?

Tout est relatif. On ne retrouvera certainement pas la sécurité bourgeoise d'un siècle où le mot d'ordre venu d'en haut était : Enrichissez-vous.

A quoi bon? Nous savons maintenant, ou plutôt on n'ose pas encore nous le dire franchement, que nous sommes tous solidaires, d'un bout à l'autre de la planète, et que ce qui frappe l'un aujourd'hui frappera l'autre demain ou après-demain.

La vie, en réalité, n'a jamais été une question de rente trois pour cent ni de sécurité.

Lundi 30 septembre 1974.

Hier, parlant de notre époque et la comparant au siècle dernier, je citais Labiche, Augier, la rente perpétuelle, comme on l'appelait parfois pour faire ressortir le contraste avec l'image qui nous reste et que les artistes nous ont laissée entre le XIXe siècle et le XXe.

On ne voit guère de violence dans Balzac, non plus que chez la plupart des écrivains. Quant à la peinture, elle a fini par la merveilleuse floraison de l'impressionnisme qui n'était que lumière, reflets et joie de vivre.

Je disais que la violence, pourtant, était répandue tant en Afrique qu'en Asie, que par la guerre cruelle entre le Nord et le Sud des États-Unis. Il y a eu 1870. Il y a eu la Commune.

Et je me suis aperçu soudain hier soir que j'oubliais le principal fléau du siècle : Napoléon. J'oubliais les guerres incessantes, les millions de morts et de blessés, les campagnes et les villes vidées de tout ce qui pouvait porter les armes.

J'oubliais l'affreuse retraite de Russie et j'oubliais Waterloo.

C'est que, dans mon esprit, comme dans l'esprit de beaucoup d'autres, l'image du XIXe siècle ne commence guère à se dessiner qu'à partir de Charles X et même et surtout de Louis-Philippe, puis de Napoléon III.

Bonaparte, devenu un héros national encore vénéré aujourd'hui, comme Hitler le sera un jour par les Allemands, appartient encore au siècle précédent, le XVIIIe.

Lorsque je parle à mes enfants de la guerre de 1914, qu'on appelait pourtant la Grande Guerre, ils me regardent d'un air sceptique. Pour eux, c'est un passé lointain qui n'appartient pas à l'histoire telle qu'ils la connaissent. Lorsque je dis à Pierre qu'à son âge j'avais faim, il me regarde avec scepticisme.

Les époques se suivent et se ressemblent sans se ressembler. Toutes me paraissent pourtant marquées du sceau de la violence.

Pour notre part, à présent, nous avons les bombes qui éclatent dans les grands magasins et dans les banques, les détournements d'avions, les prises d'otages, et des tueries inexplicables dont on ne décèle même pas l'origine.

La violence pour la violence.

Faut-il se résigner à conclure que c'est la nature de l'homme?

Mardi 1er octobre 1974.

Je voulais descendre jusqu'au lac pour la première fois depuis que je suis souffrant. Tout le long du lac se succèdent des terrains de tennis, de football, d'athlétisme, de basket-ball, etc. Aujourd'hui était un jour faste. Tous les élèves de tous les collèges de Lausanne, en effet, étaient réunis pour des joutes sportives.

A partir de quatre heures, ils ont commencé à danser au son d'une formation pop d'amateurs. Comme Pierre est là aussi, je voulais aller jeter un coup d'œil mais le vent, qui souffle violemment depuis une dizaine de jours, tantôt avec un ciel ensoleillé, tantôt avec de violentes rafales de pluie, m'en a empêché.

Ce même vent, que je déteste depuis que j'ai passé un certain âge, ne nous a pas empêchés tous ces derniers jours de faire nos promenades quotidiennes qui doivent, mises bout à bout, représenter plusieurs kilomètres. Mais, après avoir regardé les arbres à travers notre porte-fenêtre, nous choisissons notre itinéraire afin d'être plus ou moins à l'abri.

Jadis, j'adorais le vent et la tempête, surtout au bord de la mer, où j'habitais, et j'adorais, vêtu d'un bon trench-coat, marcher droit devant moi, penché en avant, à regarder et à écouter les vagues qui déferlaient.

Chaque âge, on a raison de le dire, a ses plaisirs, c'est-à-dire les plaisirs à sa portée.

Cela m'a fait penser, pourtant, à l'influence du temps et du climat en général sur l'humeur des habitants d'une contrée ou d'une autre.

On pourrait croire qu'en France, par exemple, les habitants du Midi sont plus gais que ceux des régions pluvieuses du Nord. Or, si on les connaît bien, la gaieté apparente des Marseillais, par exemple, cache, peut-être par pudeur, une certaine mélancolie.

Par contre, les Hollandais, qui voient la pluie tomber au moins un jour sur deux, sont des optimistes à tout crin et leur gaieté n'a rien de factice, ne cache aucune nostalgie.

J'ai constaté le même phénomène dans beaucoup de régions du globe. L'Indien de Bombay ou de Calcutta, qui vit une grande partie de l'année sous un soleil éclatant, n'est pas un homme gai et ce n'est pas seulement à cause de la misère que connaît le peuple.

Le Danois, le Norvégien surtout, et même le Norvégien de l'Extrême Nord, qui affronte tous les jours ou presque une nature hostile, ressemble davantage au Hollandais, peut-être même leur gaieté est-elle plus exubérante.

J'ai beaucoup vécu en Méditerranée. Lorsque le mistral souffle, par exemple, sur la Côte d'Azur, il souffle généralement trois jours, six jours ou neuf jours. Or, surtout après les trois premiers jours, les nerfs sont en boule, les mines renfrognées, et les scènes de ménage se multiplient.

Dans le nord des États-Unis, surtout en Nouvelle-Angleterre, l'automne amène ce qu'on appelle l' « Indian Summer », c'est-à-dire un nouvel été, moins brûlant, moins accablant que l'été de New York, par exemple, dans un cadre de feuillages qui se teinte de toutes les couleurs de l'arc-en-ciel, surtout l'or et le rouge des érables.

A Lakeville, où j'ai habité longtemps, nous voyions, dès que les feuilles commençaient à jaunir, de véritables cortèges de New-Yorkais qui venaient contempler les forêts multicolores. C'est, pour eux, une sorte de pèlerinage. Le soir, on a encore besoin d'un chandail de laine, voire d'une flambée dans l'âtre, mais les journées sont d'une agréable chaleur modérée.

On pourrait rappeler aussi la gaieté presque enfantine des Lapons et, de l'autre côté de l'Océan, des Esquimaux, qui vivent pourtant dans les conditions les plus précaires et les plus dures.

J'ignore si la médecine s'est sérieusement penchée sur cette question. Car l'humeur dépend, je crois, non seulement de la couleur du ciel, de la pluie et du soleil, mais aussi de l'organisme entier. Je serais curieux de savoir quelles transformations chacun des différents climats apporte à l'individu.

Ce que je sais, c'est ce que mon médecin m'a dit. Les jours de föhn (vent tiède qui descend des montagnes), il reçoit des coups de téléphone du matin au soir. Tous ses clients ressentent des malaises divers et il leur fait à tous la même réponse :

— Ne vous êtes-vous pas aperçus qu'aujourd'hui le föhn souffle ?

Je vois très bien une mappemonde indiquant les endroits privilégiés. Mais existe-t-il vraiment des endroits privilégiés ? La plupart des régions les plus tentantes, les plus spectaculaires et en apparence les plus douces à l'homme sont celles qui sont chaque année balayées par les typhons, les ouragans et souvent secouées par des tremblements de terre.

Miami est chanté aux États-Unis comme l'endroit idéal. J'y ai vécu un typhon pendant lequel chacun a dû rester chez soi pendant trois jours, sans lumière, sans possibilité de sortir, car la radio avait conseillé d'enclouer les volets. Elle avait conseillé aussi aux habitants de détacher la batterie de leur voiture afin de pouvoir rester en contact permanent, nuit et jour, avec le poste émetteur.

Il en est de même des atolls paradisiaques du Pacifique. Il en est de même aussi en certains points de la Méditerranée parmi les plus beaux.

En somme, tout se paie, même les fruits d'or, les fleurs extraordinaires, les orchidées, par exemple, qu'il faut aller chercher dans les forêts putrides.

Mercredi 2 octobre 1974.

Un titre, ce matin, dans mon journal quotidien : Québec : Les Indiens attaquent !

Comme sous-titre : on inonde leurs terrains de chasse pour pallier la crise de l'énergie.

Il se fait que j'ai visité les réserves d'Indiens canadiennes. Pas toutes, bien entendu. Celles que j'ai vues étaient lamentables.

Des Indiens sans plumes ni tomahawk, habillés de vieux vêtements mal coupés et généralement usés. Des habitats pour camps de concentration.

Et des hommes, des femmes, des enfants, qui passent leur temps à fabriquer de petites poupées, des objets de toutes sortes, mais prétendus d'inspiration indienne, avec des plumes et n'importe quel matériel.

Maintenant, comme cela s'est passé en Amérique, on leur prend les quelques arpents de terre qu'on leur avait laissés parce qu'ils contiennent du pétrole.

Les Indiens se révoltent, comme en Amérique aussi. Ce n'est que justice, à mon sens. On les a assez décimés jadis, dans des guerres ignobles, pour que les survivants aient encore quelque droit à la dignité humaine.

J'ai connu aussi les camps d'Indiens en Floride, en Arizona, où mon jardinier était d'ailleurs un chef indien.

Partout, ceux qu'on a piétinés longtemps, qu'ils soient Indiens, Africains ou Asiatiques, commencent à relever la tête.

Je n'ai jamais fait de politique. On n'en fait qu'avec les mains sales et je tiens à garder les miennes propres. Mais je ne peux m'empêcher de me réjouir en suivant le cours des événements mondiaux.

Enfin, la suffisance insultante des gouvernements, des sous-ministres et autres attachés de cabinet, des ministres eux-mêmes, bien entendu, comme des banquiers et des grands industriels, se heurte à une résistance qui ne fait encore que de se dessiner.

Les grèves n'éclatent plus seulement pour obtenir des augmentations de salaires, ou la diminution des heures de travail, ou encore la prolongation des vacances. Elles se font, sur le tas, dans des établissements qui liquident tout ou partie de leur personnel parce qu'ils ont été mal dirigés.

Enfin, ceux qui travaillent dans une entreprise réclament des comptes.

Si des ouvriers ou des cadres sont incompétents, on leur donne leur congé.

Pourquoi l'ouvrier, les cadres, n'auraient-ils pas le droit de vérifier la compétence et l'honnêteté de leurs dirigeants dont leur gagne-pain dépend?

Je sais qu'il faut s'attendre à de dures résistances, peut-être à de durs combats et même à des troubles graves.

Au fond de moi-même, il y a un sentiment qui me fait applaudir à tout ce qui nous rapproche du monde de demain.

Teresa, qui lit chaque jour le *Corriere della Sera* et qui est donc au courant de ce qui se passe en Italie, me raconte un fait intéressant. Les ouvriers d'une usine importante sont partis cette année en vacances comme les autres années. Quand ils sont revenus, prêts à se mettre au travail, ils ont trouvé les locaux de l'usine vides de toutes machines. Les propriétaires les avaient transférées ailleurs, on ne sait où, de sorte que des centaines de travailleurs sont aujourd'hui en chômage.

Vendredi 4 octobre 1974.

Malgré soi, on est bien obligé de penser à ce que l'on appelle la crise mondiale puisque chacun en est plus ou moins touché. Soi-disant, la plupart des pays prennent des mesures de restrictions sur l'essence, le chauffage, et bien d'autres produits encore, en attendant qu'il existe des restrictions sur tout.

Sauf sur l'automobile, bien entendu, cœur du monde d'aujourd'hui.

J'avais hier à la maison mon éditeur américain. Il m'a confirmé que la position de l'édition aux États-Unis n'était pas plus rose qu'en France ou ailleurs. Car, à côté de toutes ces crises, s'ajoute la crise du papier.

Les éditeurs ont de la peine à en trouver pour leurs auteurs et pour les nouveaux venus dans la carrière. Il est question d'imprimer les livres en caractères beaucoup plus petits et de serrer les paragraphes.

D'un autre côté, tous les pays se plaignent que l'argent est gaspillé par le public pour des achats qui ne présentent aucune nécessité.

Cependant, chaque matin, dans mon courrier, je reçois une demi-livre de prospectus imprimés sur du beau papier couché, certains de plusieurs pages grand format. Prospectus, bien entendu, qui poussent le public à acheter des tas de choses inutiles.

Ne serait-ce pas le moment d'arrêter cette inflation de papier imprimé à des fins qui vont à l'encontre des vœux des gouvernements ?

L'administration des postes elle-même se plaint de devoir augmenter le nombre de facteurs et ils sont de plus en plus lourdement chargés. Les boîtes aux lettres ne suffisent plus, car la plupart de ces publicités sont d'une taille qui ne passe pas par les fentes habituelles.

Les économistes ont assez condamné la société de consommation.

Alors? Pourquoi tenter le public chaque matin que le ciel nous donne? J'ai l'impression qu'on nous traite un peu comme des poissons. On nous promène des tas d'hameçons sous le nez, mais ces hameçons ne sont plus amorcés avec de vrais vers de terre ou de vrais asticots mais avec des vers de terre et des asticots en plastique.

Mes plus anciens souvenirs sont éclairés par la lumière jaunâtre et assez triste du pétrole.

J'étais tout jeune. Je revois les grosses lampes en cuivre que l'on avait alors en Belgique et le globe en verre laiteux qui les recouvrait. Je revois aussi ma mère, une fois par semaine, ranger les lampes sur la table et les astiquer, recouper les mèches de façon à ce qu'elles soient régulières, les reflets sur les murs ainsi que les ombres portées qui avaient l'air de personnages d'ombres chinoises.

Certains, les gens qui pour nous étaient des gens riches, étaient déjà éclairés au gaz. Nous avons eu le gaz à notre tour, avec sa lumière blafarde mais très vive, et on en a tous été réjouis comme si le soleil était entré à la maison.

Les grandes sociétés ont la vie dure. Ce n'est pas comme les droits d'auteur. Je voyais dans un journal récent un entrefilet sur la compagnie Auer qui fabriquait alors ce que l'on appelait couramment les becs Auer. Je ne sais pas ce qu'ils fabriquent aujourd'hui, mais ils sont toujours là, comme Schneider, Saint-Gobain, Le Creusot, que sais-je?

Chez le plus grand éditeur français, on trouve encore dans certains bureaux des descendants du fondateur de la maison qui est mort il y a plus de cent ans. Ils continuent à toucher leurs bénéfices.

Cinquante ans après sa mort, un écrivain ne laisse rien à ses héritiers. Sous prétexte que son œuvre est nécessaire à la vie culturelle du pays, il est mis d'office dans ce que l'on appelle le domaine public.

Le baron Empain, arrière-petit-fils du compagnon de Léopold II, n'est pas mis, lui, dans le domaine public. Il n'a cessé, comme tant d'autres héritiers de grands hommes d'affaires, d'accroître sa fortune et son pouvoir.

Mais ce n'est pas de cela que je voulais parler. C'était de la lampe à pétrole, puis de notre premier éclairage au gaz.

Ma mère n'aurait pas voulu que j'emploie ce mot-là, et cependant nous étions pauvres. Or, dès que j'ai commencé à regarder autour de moi, j'ai ressenti une sorte de révolte, non pas à cause de la pauvreté, non pas à cause de notre nourriture. Mais parce que, pour moi, pauvreté équivalait à laideur.

Notre maison était laide. Les meubles, fabriqués en série, sculptés à la machine d'après des modèles Henri-II ou Henri-III, étaient à la fois prétentieux et horribles. Il en était de même des papiers collés au mur, avec les éternelles roses qui se fanaient peu à peu, les guirlandes, ou encore les scènes plus ou moins pastorales.

Or, à Embourg, par exemple, il y avait des paysans pauvres aussi, plus pauvres que nous peut-être. Mais, chez eux, la laideur n'existait pas. L'âtre en pierre ou en brique, avec son chaudron qui pendait à une crémaillère, avait une certaine beauté, sinon une certaine grandeur. Les meubles hérités de l'arrière-grand-père, sinon de l'arrière-arrière-grand-père, polis par le temps, avaient, eux aussi, leur noblesse. Quant aux murs, ils se moquaient du papier peint et étaient simplement passés chaque année à la chaux.

J'en dirais autant pour les vêtements. La confection, à cette époque-là, était faite à la va-vite, par des ouvrières à peine payées. Les épaules étaient trop larges ou trop étroites. Les pantalons étaient aussi mal coupés, tout comme les chaussures.

Pour les vêtements, j'avais une certaine chance. Un des cousins de ma mère était coupeur dans un grand magasin. C'est lui qui m'habillait. Mais il ne pouvait s'empêcher de le faire dans le style du magasin où il travaillait.

Pour les chaussures, c'était différent. Ma mère avait si peur que nous nous déformions les pieds dès l'enfance, comme elle, qui avait les pieds assez déformés, qu'elle consentait un gros sacrifice pécuniaire pour nous faire faire nos chaussures.

Pourquoi cette laideur presque uniforme dans le quartier que j'habitais, sauf chez les artisans comme mon grand-père, restés fidèle à leur origine terrienne? Je n'en sais rien. Il fallait paraître. Il fallait avoir la même chose que les autres. De là des meubles prétentieux qui croyaient rivaliser avec le lourd mobilier des « riches » de l'époque.

Les temps ont changé. Pas très vite cependant. Je me souviens du premier complet que je me suis acheté à Paris, sur les Grands Boulevards. J'en étais très fier, car le tissu en était d'une discrète fantaisie, la coupe aussi.

Jusqu'au jour où il s'est mis à pleuvoir et où je suis rentré dans ma chambre d'hôtel avec des pantalons qui m'arrivaient jusqu'à mi-jambe.

On appelait ça alors de la laine de chien.

Il n'y a plus de laine de chien. Je vois les gens, dans les rues de mon quartier et ailleurs en ville, habillés avec ce que j'aurais appelé, jeune homme, une suprême élégance. La confection emploie des matières plus ou moins synthétiques qui restent insensibles à la pluie. Les chaussures, de même, ont le même aspect chez le marchand que sorties de chez les rares bottiers qui existent encore. Je crois que, pour Lausanne, qui comporte environ cent cinquante mille habitants, il reste trois bottiers, tous les trois âgés et très chers.

Du pétrole à l'électricité, il s'est écoulé des décennies. De la confection à la va-vite aux vêtements à peu près uniformes, il s'en est écoulé presque autant.

Comme j'admirais les cultivateurs qui portaient un vieux pantalon de velours et une veste en gros coton bleu. Ils avaient des sabots aux pieds.

Des sabots, je me suis empressé de m'en acheter quand, vers la fin de la guerre, les chaussures sont devenues rares et j'étais fier de me promener ainsi en ville. Je les ai retrouvés avec joie quand j'ai fait mon service militaire dans la cavalerie.

Et quand plus tard, en France, j'ai vécu à la campagne, je me suis acheté à nouveau des sabots. Mais ce n'était plus les sabots de bois de mon enfance et de mon adolescence. Les semelles étaient bien en bois, mais l'empeigne était en cuir luisant.

J'ignore quelles transformations dans l'habitat, dans le décor, dans le vêtement, connaîtront mes enfants.

Pour l'instant, ils sont plus sages qu'à mon époque. Ils portent des blue-jeans, des chemises à carreaux et des canadiennes. J'aime mieux cela que nos complets étriqués, nos faux cols empesés et nos cravates de mauvaise qualité.

Je ne dis pas que les différents aspects entre les classes sociales ont disparu. Je ne dis pas que l'intérieur des jeunes mariés de classe moyenne, aujourd'hui, peut rivaliser avec celui des financiers.

Mais la différence entre les uns et les autres s'est énormément atténuée et je me demande parfois si un jour elle ne disparaîtra pas tout à fait.

Dimanche 6 octobre 1974.

J'ai été un des premiers admirateurs de Jung et de Freud et je le suis encore. D'ailleurs, toute mon œuvre a été écrite à mon insu selon certaines de leurs idées : en particulier celle du cerveau nouveau et du cerveau tribal.

La psychanalyse, qui a découlé de leurs théories, n'est autre que la recherche d'une mise à jour, en quelque sorte, des pulsions du cerveau tribal, c'est-à-dire de la partie inconnue de nous-mêmes.

J'ai en effet écrit mes livres en m'efforçant de ne pas laisser la raison l'emporter mais, au contraire, de suivre mon instinct.

Je ne le regrette pas. Comme je l'ai dit, je reste un grand admirateur de Jung et de Freud malgré les campagnes menées aujourd'hui contre eux. Je devrais, pour être sincère, ajouter le nom d'Adler à ces deux-là.

Cependant, je me demande s'ils ne sont pas un peu responsables de la désacralisation de la vie humaine. Supprimant en quelque sorte le sens de culpabilité que les États et les institutions s'efforcent de nous inculquer, ils nous ont livrés à nous-mêmes, c'est-à-dire à nos instincts.

J'ai encore connu l'époque où un politicien ou un journaliste devait fréquemment se battre en duel, y compris un Clemenceau qui passait tous les matins à la salle d'armes pour s'entretenir la main et l'œil aussi bien au pistolet qu'au sabre et qu'à l'épée.

Nul ne s'indignait. La police fermait les yeux. La peine, quand les tribunaux étaient appelés à s'occuper d'une mort d'homme causée par un duel, était extrêmement légère. Il en a été de même tout au long de l'histoire. On admire les trois mousquetaires qui tuaient comme on boit un verre. On admire la religion qui est allée massacrer les Arabes au cours des Croisades et qui, plus tard, devait créer l'Inquisition.

Je revois le ceinturon des soldats allemands pendant la première guerre. Il portait, gravé sur une plaque de cuivre : « Gott mit uns ». Dieu est avec nous. Les Français ne portaient pas cette devise sur leur nombril, mais ils avaient exactement la même idée. Les évêques, les archevêques, du haut de la chaire et au long de leurs lettres pastorales, encourageaient leurs ouailles à aller tuer l'ennemi.

Eh bien! maintenant, on tue sans remords. Les Palestiniens se considèrent comme en guerre, ce qui excuse leurs attentats. Les Israéliens aussi. La CIA de même. Sans parler des autres organismes ou associations patriotiques qui existent dans la plupart des pays.

Hier, on s'est aperçu que le Simplon, qui venait de Milan à Genève, bourré d'ouvriers italiens, contenait assez de dynamite pour le faire sauter. On l'a découvert à temps, à Domodossola, à quelques kilomètres du tunnel où l'explosion d'un train aurait été une tragédie.

Il n'y a plus de tragédies. Tout semble naturel. Les psychiatres eux-mêmes n'osent pas, appelés devant un tribunal, témoigner franchement sur la responsabilité d'un criminel, sur sa non-responsabilité.

De quoi demain sera-t-il fait? Je l'ignore. Il n'y a pas de cours de l'histoire. L'histoire a ses sautes d'humeur, comme l'individu. Elles durent plus ou moins longtemps. En outre, comme les icebergs, elle a sa partie cachée, beaucoup plus importante que sa partie visible.

Ceux qui ont fait une guerre cruelle, accompagnée de tortures, n'ont rien de plus pressé que de fonder des associations d'anciens combattants, d'anciens paras, d'anciens aviateurs. Ils sont tous décorés. Ils défilent sous l'Arc de Triomphe.

Pas seulement dans un pays mais dans la plupart des pays, que ce soit plus ou moins public ou clandestin.

Je suis contre l'agressivité, je suis pour le respect de la vie et de la personnalité de chacun.

Et, comme tant d'autres, je suis bien obligé de me dire : « Qu'y puis-je? »

Toute ma vie, j'ai essayé de me mettre dans la peau de l'homme, aussi bien de l'homme de la rue que des barons du régime.

A près de soixante et onze ans, j'avoue que j'y renonce.

Une heure après.

Je me demande avec anxiété si, dans un temps plus ou moins proche ou lointain, tuer, même en dehors des guerres, même en dehors des aspirations des minorités, ne fera pas partie des Droits de l'Homme.

Dimanche 13 octobre 1974.

Premier rhume de l'année, ou plutôt de l'automne. Pourvu que, comme les années précédentes, il ne tourne pas en bronchite.

Hier, je suis allé chez mon médecin pour mon check-up bisannuel. Il paraît que tout est parfait.

Lorsque je consulte un médecin européen je ne peux jamais m'empêcher de ressentir un vague malaise, quelque confiance que j'aie en lui. C'est probablement un reste des habitudes américaines que j'ai prises lorsque j'habitais là-bas.

Aux États-Unis, en effet, la plupart des médecins parlent au malade en toute franchise, même pour leur dire qu'ils n'ont qu'un mois ou six mois à vivre.

En Europe, j'ai eu beaucoup d'amis médecins. Or, tous, sans exception, m'ont confié qu'un de leurs grands soucis est de cacher la vérité à leurs malades. C'est presque devenu un art.

De sorte qu'on ne sait jamais la vérité et qu'on en est réduit aux hypothèses. Or, je considère que l'incertitude fait plus de mal qu'une mauvaise nouvelle.

Voilà je ne sais combien de jours que je n'ai pas dicté. Teresa m'en empêche et le médecin lui donne raison. En effet, j'ai tendance à parler abondamment et Teresa constate chaque fois que cela me fatigue.

Aujourd'hui est une exception. Voilà un certain temps que je me tracasse au sujet de ces monologues au micro. De quel intérêt peuvent-ils être pour le public? Or, j'ai eu la faiblesse de signer un contrat pour les deux premiers volumes avec mon éditeur.

Ne vais-je pas me rendre ridicule? Ne vais-je pas décevoir mes lecteurs? Pourtant, j'ai besoin de m'exprimer. Cela me délivre chaque fois d'une préoccupation. Dès que je l'ai enregistrée sur la bande magnétique, je n'y pense plus.

Mais de là à prendre des gens qui ne me connaissent même pas, certains qui n'ont jamais lu mes romans, à témoin de mes petites cogitations, cela me fait un peu honte. C'est comme si je me déchargeais sur mes lecteurs de mes soucis.

Dix fois, je me suis juré de ne jamais publier ces dictées, et même de les abandonner une fois pour toutes. Je suis un peu comme le joueur qui revient irrésistiblement s'asseoir autour du tapis vert.

Je sais que je continuerai. Tant pis pour ce qui arrivera par la suite. Si je déçois, si j'irrite, si je reçois une douche glacée, cela me sera une bonne leçon et on ne reçoit jamais trop de leçons dans sa vie.

Même dimanche. Trois heures et demie de l'après-midi.

J'ai passé une bonne partie de ma sieste, à mon grand dam, à chercher une réponse aux questions que je me posais ce matin. Est-ce que j'ai trouvé? Je n'en sais rien.

Il m'est arrivé plusieurs fois de raconter ma rencontre avec le père Fayard après lui avoir envoyé mes deux premiers Maigret. En bref, il n'avait aucune confiance dans mes livres. Il trouvait que ce n'étaient pas de vrais romans policiers (et il avait raison), qu'il n'y avait pas de problème posé au lecteur d'une façon pseudo-mathématique; que Maigret n'avait aucun sex-appeal; que mes personnages n'étaient ni bons ni mauvais; qu'il n'y avait pas d'histoire d'amour, etc., etc.

On sait ce qu'il en est advenu. C'était en 1929.

Mes dictées ne sont ni une confession, ni un journal, ni des mémoires, encore moins des dissertations plus ou moins philosophiques, scientifiques, mystiques, que sais-je? Je n'y résous aucun problème. Et, s'il m'arrive parfois de parler d'un de ceux qui se présentent à nous, c'est sans apporter de réponse.

Autrement dit, mes élucubrations ne ressemblent à rien. Ce n'est peut-être rien, comme les Maigret n'étaient rien lorsque je les ai écrits.

Mais combien de chances sur un million ai-je qu'il en soit ainsi?

Mercredi 16 octobre 1974.

Je me demande si je suis en train de rajeunir. En tout cas, la journée d'hier a été une journée faste dont je me souviendrai et qui marque peut-être une nouvelle étape dans ma vie.

Lorsque je me suis installé dans ma petite maison rose, tout en gardant mon appartement dans la Tour, j'étais souffrant. Je ne comptais pas sur un long avenir et je voulais simplifier ma vie autant que possible, sinon à l'extrême.

Par exemple, j'avais laissé ma télévision dans la Tour. Seul mon fils, qui a son appartement au premier étage, avait la sienne, et je ne monte jamais au premier étage car l'escalier, à la descente, me donne le vertige.

Or, hier, brusquement, j'ai eu envie d'avoir la télévision dans ma pièce-à-tout-faire.

J'ai eu envie aussi de changer la place de plusieurs meubles, comme je l'ai fait tant de fois dans mon existence, à la différence qu'autrefois je changeais carrément de maison, quand ce n'était pas de pays.

Je ne suis plus aussi ambitieux. Hier matin, Teresa, dont c'était la fête patronale, a été fort étonnée de me voir habillé pour la ville et que je lui demande d'appeler un taxi. Nous sommes allés ensemble dans la maison rue de Bourg, où, au temps d'Épalinges, j'ai acheté six ou sept appareils de télévision. J'en ai donné la plupart aux membres du personnel dont je me séparais en déménageant.

Je voulais l'appareil le plus perfectionné, et je le voulais tout de suite, comme toujours. On m'a promis de me le livrer l'après-midi à quatre heures. A quatre heures, les meubles avaient déjà changé de place pour lui réserver la sienne.

C'est un beau poste tout blanc, grand écran, électronique, qui me donne non seulement les trois chaînes françaises mais les trois chaînes suisses et qui pourra éventuellement me donner l'Angleterre.

Merveilleux jouet! Hier soir, au lieu de prendre les nouvelles à la radio, je les ai prises, comme autrefois, à la télévision, puis j'ai eu la chance de tomber sur un show d'Averty avec Pierre Étaix, qui avait un certain côté cirque qui me ravit, car je suis un passionné du cirque.

J'ai ri pendant près d'une heure comme cela ne m'était pas arrivé depuis longtemps. Et ce matin, la première chose que j'ai faite, encore dans mon lit, a été de chercher mon jouet avec des yeux brouillés de sommeil.

Je ne pouvais plus supporter la télévision. Je ne pouvais plus supporter les visites. En dix jours, j'ai reçu trois éditeurs. J'ai dicté je ne sais combien de lettres et de contrats. J'ai beau être enrhumé, je me sens léger comme je ne l'étais plus depuis plus de quatre ans.

Il est vrai que, précédemment, j'ai, petit à petit, résolu tous les problèmes qui pouvaient me tarabuster.

Je dors comme un loir. Ma sieste est un enchantement. Tout est enchantement, depuis le moment où je me lève jusqu'au moment où, à neuf heures et demie exactement, je me prépare à me mettre au lit.

Je me trompe peut-être. Comme disent les Américains, « I cross my fingers », et, comme les Français, je touche du bois. Je n'ai pas à aller loin pour en trouver. J'ai presque toujours ma pipe à la bouche.

Au fait, hier aussi, j'ai acheté une nouvelle pipe, ce qui chez moi est le signe d'un événement important.

Bref, j'ai vécu une journée enchantée. Ce matin, j'étais d'attaque pour téléphoner à ma secrétaire et pour dicter mon courrier par téléphone. Elle viendra après midi me le faire signer.

Il est un peu plus de dix heures et demie. Nous avons déjà fait notre principale promenade du matin, Teresa et moi.

J'allais oublier un événement qui a son importance aussi et qui s'est produit hier. Teresa m'avait laissé d'un côté de la rue de Bourg pour aller chercher un journal sur le trottoir opposé. Moi qui ne marche qu'à son bras, je me suis trouvé tout à coup traversant bravement la rue, sans m'en rendre compte, pour aller la rejoindre.

Elle n'en croyait pas ses yeux, surtout que c'était dans la partie supérieure de la rue qui n'est pas interdite aux voitures et aux camions de livraison.

Par le fait que cette télévision est de nouveau introduite dans mon univers, tout me paraît changé dans ce que je pourrais appeler, pour employer le langage des promoteurs, mon studio, c'est-à-dire ma pièce unique. Ce qui va probablement changer aussi c'est que, certains soirs, au lieu de lire n'importe quoi, des livres dont on peut sauter des lignes et même des pages, je resterai, confortablement installé dans mon fauteuil, à regarder des images.

Je suis bien décidé à ne pas regarder n'importe lesquelles. Je vais redevenir attentif au programme.

Mais cela ne signifie-t-il pas un rajeunissement, puisque cela implique le besoin d'un contact avec le monde autrement que par les journaux et les hebdomadaires internationaux?

Je n'ai plus d'âge. Le mot vieillard me choque. Le mot troisième âge encore plus.

Je ne me sens d'aucun âge en attendant, plus tard — je voudrais que ce soit beaucoup plus tard — de revenir au premier âge, c'est-à-dire de retomber en enfance.

Vendredi 18 octobre 1974.

Hier, à la Télévision Française, deux médecins en renom, deux psychiatres spécialisés dans la psychiatrie infantile, ont failli en venir aux mains. L'un, Américain, a fondé une clinique où il affirme avoir guéri des enfants anormaux par l'environnement et une atmosphère psychologiquement favorable. L'autre, professeur, dirige le service de psychiatrie infantile dans un hôpital de Paris.

On aurait cru assister à un débat politique et, en effet, il y avait un fond de politique dans le débat. L'Américain ne croyait pas que toute notre évolution est définitivement inscrite dans nos gènes. Il donnait une grande part à l'affection, à l'amour des hommes.

Le Français niait farouchement qu'on pût influencer par des moyens en quelque sorte paramédicaux la vie future d'un enfant.

Des millions de spectateurs écoutaient. Parmi eux, combien de parents d'enfants anormaux, troublés, les écoutant l'un après l'autre, se demandaient qui croire des deux?

Des débats de ce genre, on peut en lire le compte rendu dans la presse à peu près quotidiennement. Les médecins se réunissent en congrès, qu'ils soient spécialistes du cancer, du cœur, des artères, peu importe de quelle maladie. Et il n'est pas rare de les voir s'affronter avec véhémence.

J'aime la médecine. En général, j'aime les médecins et la plupart de mes amis ont été choisis parmi eux.

Mais à l'époque où je fréquentais ce qu'on appelle les grands patrons, lorsqu'ils faisaient ou croyaient avoir fait une découverte, ils ne la rendaient pas publique et ne convoquaient pas la presse. Ils se contentaient d'une communication à l'Académie de Médecine ou d'un article dans une revue médicale spécialisée, qui n'atteignait pas le grand public. Aujourd'hui, une véritable bataille se livre. A peine un spécialiste croit-il avoir découvert un nouveau remède que le monde entier est alerté.

On guérit tel cancer.

On ne guérit pas tel cancer.

Il faut vivre de telle et telle manière, se nourrir de telle et telle façon, accoucher dans telles et telles conditions.

Or, ce qui est grave, c'est justement que ces médecins ne soient pas d'accord entre eux et que ces divulgations sont faites avant qu'une méthode ou un médicament aient été suffisamment expérimentés.

On parle médecine dans tous les milieux, y compris les milieux les moins aptes à comprendre. Ne serait-il pas plus humain de ne pas donner de faux espoirs — ou de faux désespoirs — aux malades ?

Je suis surpris de l'évolution à laquelle j'assiste depuis une trentaine d'années. Certes, la médecine a de beaux fleurons à son actif. Elle a beaucoup guéri. Elle a reculé le temps moyen de la vie.

Mais est-il nécessaire d'exposer dans les journaux quotidiens les cas parfois les plus rares et d'avouer qu'on est impuissant devant eux ?

Il en est de même pour le troisième âge. Maison de retraite ? Hôpital ? Visites à domicile par les infirmières ?

Il vaudrait mieux s'entendre une fois pour toutes et ne pas jeter le trouble dans les esprits. La plupart des congrès médicaux finissent par se réduire à une sorte de parade où chacun vient réciter son boniment.

Justement parce que je crois fermement à la médecine et à la plupart des médecins, je trouve cela dommage.

Jadis, mettons jusqu'aux environs de 1930 ou 1935, date où les plus grands progrès ont commencé, selon le professeur Jean Bernard, le médecin de famille était à la fois un ami, un confesseur, un homme qui croyait souvent qu'il ne guérissait rien mais que sa présence et sa parole aidaient le malade.

C'était hier, et pourtant, comme cela paraît loin.

Samedi 19 octobre 1974.

Re-médecine.

On n'y échappe pas. Tous les media sont utilisés pour nous rappeler presque chaque jour que la médecine existe, qu'on guérira un jour tous les cancers (mais quand?), etc., etc.

Avant-hier, je l'ai signalé, deux éminents professeurs se disputaient à la Télévision Française et on attendait le moment où ils allaient tomber la veste et relever leurs manches pour régler la question par une partie de catch.

Hier, un des postes périphériques interviewait un autre psychiatre, un professeur aussi, et lui demandait son avis sur cette dispute.

Plus mesuré, ou plus prudent, ce psychiatre, à l'inverse du psychiatre français de la veille, ne reniait ni Freud, ni Jung, ni Adler, ni leurs successeurs et il considérait que la psychanalyse était souvent indispensable et donnait des résultats dans des cas prétendus désespérés.

En somme, il situait l'humain un peu au-dessus ou à égalité avec la science proprement dite.

Un grand hebdomadaire annonçait hier quatre livres dont un est déjà sorti de presse et dont les trois autres sortiront dans les jours suivants. Ces livres sont écrits par des médecins. Or, tous les quatre traitent de l' « antimédecine ». Les quatre auteurs prétendent, avec statistiques à l'appui, que la médecine n'est en réalité pas une science et qu'on ferait mieux d'en revenir, ou presque, à la médecine de papa, au bon docteur de famille qui ne s'embarrassait pas de méthodes compliquées.

Personnellement, je ne suis pas tout à fait de leur avis. Cela n'a d'ailleurs aucune importance, étant donné que je ne suis pas savant en la matière. En aucune matière d'ailleurs.

Je me contente de regarder vivre les hommes et d'essayer de

comprendre, comme j'ai essayé pendant toute leur jeunesse de comprendre mes enfants dès leur plus jeune âge, comme j'essaie encore de comprendre mon dernier fils qui commence son adolescence.

Toujours est-il que je tape toujours sur le même clou : ces disputes entre augures, ces communiqués à la presse, ces interviews à la radio ou à la télévision, tout cet étalage de ce qu'on pourrait appeler les dessous de la médecine ne font aucun bien à celle-ci et encore moins au pauvre auditeur ou spectateur qui n'y comprend plus rien.

Encore une fois, comme je crois l'avoir dit hier, qu'on se mette à la place du malade, tiraillé entre des théories qui, souvent, lancées à grand fracas, sont presque aussitôt contredites pour disparaître dans l'oubli.

Et je ne parle pas des pharmacies qui ont dans leur vitrine, outre une trentaine de marques de produits de beauté (?), de grands panneaux-réclame, fournis par les marchands de drogues, qui affirment tranquillement que telle ou telle pilule, tel ou tel liquide, guérit au moins cinq ou six maladies différentes.

Cela vient de sociétés multinationales qui ont jusqu'à quatre-vingt-dix usines à travers le monde et qui inondent les médecins de magazines publicitaires, font les frais de la plupart des congrès, sans compter, pour certaines d'entre elles, de menus cadeaux qui vont du stylomine gravé au nom du médecin jusqu'au service de table complet.

Pendant des années, j'ai lu quatre ou cinq des principaux journaux médicaux tant français qu'anglais, américains et suisses.

Je m'en suis désabonné, car j'aurais fini par hésiter entre tous les médicaments proposés et tous les traitements prétendus infaillibles... et contradictoires.

Il en est de même pour l'alimentation. Les régimes varient suivant les médecins, les cliniques, la mode. Sans compter ceux qui disent franchement :

— Le mieux est de manger ce dont vous avez envie et selon votre appétit.

Quant à la façon d'élever les enfants, dès leur jeune âge, les écoles prétendues scientifiques sont encore plus nombreuses et j'imagine les parents partagés entre la « bonne gifle » et la liberté complète laissée à leur progéniture.

Tout cela ne serait pas grave si cela restait entre augures. Mais les augures d'aujourd'hui tiennent à leur publicité personnelle et le pauvre homme de la rue, la mère de sept ou huit enfants ne savent plus à quel saint se vouer.

Le professeur d'hier, à la radio, répondait à une question qui lui était posée, car le public avait le droit d'être informé.

S'est-il informé aussi des menaces que font peser sur nous les fameux secrets atomiques qui circulent de pays en pays, du danger ou de l'innocuité des centrales nucléaires ?

Dans tel pays on les ferme au fur et à mesure que se produisent les accidents, ce qui n'empêche pas d'illustres physiciens de crier casse-cou.

Mais va-t-il falloir informer aussi l'homme de la rue des secrets de la physique nucléaire comme on l'informe des secrets de la cellule dont on commence à peine à entrevoir le millième de la composition ?

On voudrait faire confiance aux spécialistes. On voudrait être rassuré.

Or, tout se passe comme si l'on cherchait non seulement à nous troubler mais à nous déséquilibrer.

Post-scriptum. Ce n'est qu'après la mort du président Pompidou que les médecins nous ont dit la vérité sur son état et que la France, avec stupeur, a appris que depuis plusieurs mois il était incapable de prendre une décision importante.

Aux États-Unis, les tribunaux parlent d'envoyer trois médecins pour vérifier les certificats de leurs confrères qui soignent personnellement Nixon.

Alors ? Avant de donner un pouvoir quelconque à un homme, qui n'est malgré tout qu'un être soumis aux mêmes misères humaines que les autres, va-t-il falloir exiger un certificat de bonne santé ? Mais de qui l'exiger ? De quel médecin ? De quelle école ? Et peut-être aussi animé de quelles ambitions personnelles ?

Lundi 21 octobre 1974.

Ma pensée tourne en rond. Ce n'est pas étonnant si on écoute la radio, si on regarde la télévision, si on lit les journaux et les hebdomadaires.

On ne nous parle que de la santé, du coût de la santé, des établissements où l'on peut mourir en paix, des maladies qui tuent ou qui ne tuent pas selon que l'on s'y prend à temps ou non, des maladies qui tuent inévitablement.

Et ce n'est pas particulier à un pays. C'est à peu près partout que l'on assiste à cet étalage de considérations médicales.

C'est amusant, et même réconfortant, de voir le monde qui change. Sans faire de politique, on peut dire qu'il y a aujourd'hui une scission entre le peuple et ceux qui le gouvernent. Ceux qui le gouvernent sont mal à l'aise et ne savent plus que faire pour obtenir des voix électorales sans pourtant trop changer à la morale et aux situations acquises.

Le pape lui-même fait un peu pitié. Il doit se battre, bien que malade, contre ses évêques du monde entier, ou presque, qui réclament une transformation quasi totale de l'Église. Lui aussi lâche du fil, à regret, mais il est de plus en plus débordé.

Dans les pays de l'Est, il y a aujourd'hui une bourgeoisie à laquelle le parti n'ose pas toucher, puisqu'elle est en grande partie constituée par ses membres. Il existe ce qu'ils appellent des « houlligans », c'est-à-dire des jeunes qui imitent, jusqu'à dans le vêtement et les mœurs, les pays d'Occident et même les États-Unis. Les meilleures boîtes de strip-tease sont en Hongrie.

Bref, après des années de tâtonnement, le monde se transforme et, quel que soit le résultat de ces transformations, je m'en réjouis, à une seule condition, cependant, c'est que la réaction ne mette pas à la tête des pays d'Europe des militaires, ce qu'on appelle les colonels.

Post-scriptum. J'ajoute quelques mots à mes premiers propos sur la maladie et la mort. On dirait qu'on nous présente aujourd'hui les soins médicaux et la mort à la carte. A vous de choisir comment vous mourrez et à quel prix.

Il est vrai que les Pompes Funèbres vous permettent d'acheter votre futur enterrement à tempérament, comme on achète une chambre à coucher ou une automobile. C'est peut-être le placement le plus sûr, car il n'y a qu'une chose que nous savons à coup sûr : c'est que nous y passerons tous tôt ou tard.

Mercredi 23 octobre 1974.

Hier, comme cela m'arrive à l'occasion, j'ai poussé le bouton de la seconde chaîne de la Télévision Française. Quand je dis « pousser », je m'excuse. On ne pousse plus les boutons, on les effleure, car ils sont électroniques.

Je suis tombé sur l'émission « Pour vous Madame ». Je n'en ai vu que le titre, je l'avoue : « Le coût de la mort. »

Il y a trois ou quatre jours, je parlais je crois, à mon petit micro, de la mort à la carte. Comme au restaurant. A la différence qu'au restaurant on choisit ses plats préférés.

Hélas ! On ne choisit pas sa mort.

Je crois que je ne suis pas une exception. Je ne m'inquiète pas trop de savoir quand je mourrai. J'aimerais vivre le plus longtemps possible, bien entendu, car je n'ai jamais été aussi heureux de ma vie.

Ce qui me préoccupe parfois, cependant, ce n'est pas le quand, mais le comment.

Nous avons tous, certains dès notre naissance, un ou plusieurs points faibles, généralement plusieurs. Je n'y ai pas pensé jusqu'à l'âge de cinquante ans environ, car je n'avais pas à me préoccuper de mon corps qui fonctionnait parfaitement.

Petit à petit, on se rend compte, avec l'âge, qu'on devient sensible à tel bobo ou à tel autre. On n'est pas nécessairement malade. Mais on sent confusément que, si on doit l'être un jour, ce sera de tel ou tel organe.

Alors, quand il y en a plusieurs de sensibilisés, on se demande : lequel va flancher le premier? Or, comme tout le monde, je suppose, j'aimerais (ou plutôt je donne la préférence, car j'aimerais mieux ne pas mourir du tout) j'aimerais, dis-je, une mort calme et sans souffrance. Loin des hôpitaux et des cliniques. Dans mon lit à moi, avec Teresa à mon chevet pour me fermer les yeux.

Tout cela n'a rien de dramatique. C'est le sort des hommes. Ce qui est dramatique c'est le titre de l'émission « Pour vous Madame » : Le coût de la mort. Et ce soir, probablement, un médecin, sur une chaîne ou sur une autre, nous parlera du cancer ou d'une maladie rarissime.

Ce n'est que le soir que je me suis souvenu que j'ai participé à une des émissions féminines de cette série. C'était il y a quatre ou cinq ans à Épalinges, où toute l'équipe est arrivée avec ses appareils, ses techniciens et trois ou quatre femmes choisies, je ne sais comment, parmi les auditrices.

Cela a été très gai, très cordial. On n'a parlé ni de mort ni de maladie. Je ne sais plus sur quelle question ces dames m'ont interrogé.

Ce que je me demande aujourd'hui, c'est : « Qu'est-ce que je faisais là ? » et cela m'a rappelé que cela a duré des années et des années. Déjà aux États-Unis, on venait tourner ou enregistrer chez moi. Les reporters et les photographes de *Life Magazine,* qui existait encore, m'ont suivi pendant une semaine de mon lever à mon coucher, prenant des centaines de clichés.

Par la suite, les télévisions française et étrangères ont pris l'habitude de venir passer une semaine au château d'Echandens et, par la suite, à Épalinges, perturbant la vie de mon entourage, me faisant changer de chemise ou de complet selon les goûts de l'opérateur ou du metteur en scène, me suivant dans les rues de Lausanne, dans les fermes ou dans les champs. Leur préférence était pour le marché. Il fallait que je me promène au marché, suivi d'un opérateur, d'un perchman qui faisait danser un micro, comme un hameçon, au-dessus de ma tête et je devais m'adresser « naturellement » aux marchandes et aux marchands.

Je suis stupéfait d'avoir accepté tout cela, car j'y perdais mon temps, je n'y prenais aucun plaisir, cela m'a valu quelques bons rhumes lorsqu'on tournait en extérieur.

Je n'ai pas et je n'avais pas alors besoin non plus de publicité. Et je n'ai jamais eu la curiosité de regarder ces émissions à l'écran. Je considérais que c'était un devoir qui s'attachait à mon métier de romancier, c'est-à-dire en quelque sorte d'homme public. C'était peut-être aussi un devoir vis-à-vis de mes lecteurs. Ceux-ci sont toujours assez curieux de connaître celui qui a écrit les ouvrages qu'ils lisent.

Depuis mes soixante-dix ans, c'est fini. Une seule fois, j'ai donné une courte interview télévisée dans l'appartement de l'avenue de Cour.

Quant à la petite maison, où je me blottis aujourd'hui près de l'âtre, aucun journaliste, soit de radio, soit de télévision, n'a pu venir perturber mon existence tranquille de retraité.

Paradoxalement, c'est moi qui la perturbe. J'ai attrapé une sorte de virus : le besoin de bavarder presque chaque jour devant mon micro. Et, le plus grave, c'est que je parle surtout de moi.

Parce que j'essaie, non plus de comprendre des personnages plus ou moins fictifs, mais de me comprendre. Et c'est bougrement plus compliqué.

Hier soir, en m'endormant, j'ai revu les bords du Rhône et les canaux du Midi quand je les parcourais dans mon petit bateau, *Le Ginette*. Tous les quatre ou cinq kilomètres, on apercevait, au bord de la rive, trempant plus ou moins dans l'eau, des lavoirs où une dizaine de femmes frottaient vigoureusement leur linge sur une planche ou sur une pierre et le rinçaient ensuite dans la rivière ou le canal.

Ce n'étaient pas des lavandières, comme autrefois, un mot qui d'ailleurs m'enchante. C'était des bonnes femmes du pays, qui, tout en frottant ou en tapant le linge avec une sorte de battoir, se racontaient des cancans et riaient à gorge déployée.

Il m'a été donné de voir plus tard, beaucoup plus tard, dans les sous-sols des H.L.M. et même de bâtiments très bourgeois, des femmes qui attendaient devant les hublots glauques des machines à laver automatiques. Dans le demi-jour, ou dans la lumière d'une mauvaise lampe qui pendait à un fil, elles guettaient le moment de glisser à leur tour leur monnaie dans une fente et leur linge dans l'appareil.

Elles n'étaient pas, pour la plupart, bien en chair ni fortes en gueule. Elles ne parlaient pas, se regardaient à peine, sinon à la dérobée, comme si c'était une honte de se trouver là.

Inutile de dire que personne ne riait.

Mais on va m'accuser, et mon fils Pierre le premier, de radoter comme des vieillards (il parle plutôt de vieux cons) qui ressassent le temps de leur jeunesse ou de leur âge mûr.

Je suis bien content quand même d'avoir vu, dans le soleil qui se reflétait dans l'eau, les lavoirs où les bonnes femmes s'épanouissaient tout en lavant leur linge.

Samedi 26 octobre 1974.

Que la vie est bonne et savoureuse! Je ne sais pas si ce que je suis en train de dicter aujourd'hui sera enregistré car mon appareil se met à siffler. Je continue néanmoins. Tant pis pour le sifflement.

Bon. On vient d'essayer de supprimer le sifflement, mais on n'y arrive pas. Tant pis si l'enregistrement est mauvais. Ce que j'ai à dire n'est d'ailleurs pas destiné à la postérité. Ce sont des remarques banales, comme peut en faire tout homme de mon âge. Pendant des années, surtout pendant la jeunesse et l'adolescence, rien ne nous apprend à savourer les moindres détails de la journée. Cela ne vient que petit à petit, et plutôt sur le tard. Cela n'en est que plus précieux.

Hier, j'ai beaucoup travaillé le matin, sans fatigue, avec une lucidité entière, et même, dirais-je, avec une précision plus grande que jamais. L'après-midi, Teresa et moi sommes allés en ville. J'ai descendu tranquillement la rue de Bourg, qui est très en pente et qui, il y a quatre ou cinq ans, me donnait un peu le vertige. Je l'ai descendue sans m'en apercevoir. Je suis allé chez mon tailleur et je ne me suis pas rendu compte du malaise que je ressentais toujours au cours des essayages.

Aujourd'hui, c'est l'anniversaire de mon arrivée avenue de Cour. Deuxième anniversaire. Il y a deux ans que je n'ai pas revu Épalinges, qui m'appartient toujours, et que je n'ai pas envie de revoir.

Mon médecin est venu ce matin et m'a trouvé en pleine forme. L'après-midi, je me suis fait conduire en taxi à Pully où nous avons marché longuement, Teresa et moi. Puis dans un autre village...

Nous avons fait le tour du parc, ravis par la couleur des feuilles qui va du doré au presque rouge, ravis aussi de notre démarche dans les allées magnifiques.

Je connais beaucoup de villes au monde. J'en connais peu qui ont autant le souci de la verdure que Lausanne. Partout des arbres. Partout des squares, partout des bancs, même dans le centre, à deux cents mètres de la place Saint-François, où il y a un parc ravissant dont les bancs sont toujours occupés.

J'ai respiré tout cela. Je me suis imprégné au plus profond de moi-même du charme de cet après-midi d'automne. Je viens de rentrer à la maison où je retrouve mon décor familier, que j'aime de plus en plus.

Quand j'habitais uniquement l'appartement de l'avenue de Cour, je voyais cette petite maison par la fenêtre et je rêvais de l'acheter. Un matin, une annonce dans le journal au sujet d'une maison à vendre m'a fait penser, par sa description, qu'il s'agissait de cette maison-là.

J'ai aussitôt téléphoné à l'agence. A midi, l'accord était conclu et trois jours plus tard je signais les actes chez le notaire. Ce qui m'enchante le plus, ce qui m'a décidé peut-être avant tout, c'est une belle cheminée Empire, où, le matin, avant de m'éveiller, Teresa flambe une allumette ce qui donne aussitôt une belle flambée. C'est devant cette flambée, bien au chaud, sans m'occuper du chauffage central et des restrictions éventuelles sur le mazout, que je prends mon petit déjeuner.

Je le répète, la vie est belle. Il faut savoir l'aspirer, et je finis par me demander s'il est nécessaire d'être un vieillard pour cela. Dommage qu'on gaspille tant d'années à des démarches sans intérêt, à des joies sans joie, si je puis dire, c'est-à-dire à des joies qui ne sont pas profondes.

Les vraies joies, nous devons les ressentir jusqu'au plus intime de notre être, je dirais presque, pour employer le langage d'aujourd'hui, jusque dans ses cellules.

Lundi 28 octobre 1974.

J'essaie un troisième appareil enregistreur. Le dernier sifflait. Celui-ci ne siffle pas ou plutôt siffle faiblement. J'ai horreur de toutes ces mécaniques, de tous ces trucs électriques, électroniques et autres, je n'y entends rien et cela me déroute lorsque je bavarde dans mon micro.

Ça siffle toujours. Trois appareils qui sifflent!

Alors, maintenant, je parle et je vois que cela ne siffle plus. Il n'y avait qu'un bouton à pousser et je ne savais pas lequel.

Tout va bien.

Mardi 29 octobre 1974.

Hier, il a neigé sur Lausanne. Avant-hier, mini-catastrophe. Tout à coup, alors que je dictais, mon enregistreur s'est mis à siffler comme une locomotive du temps jadis. J'ai quand même dicté. Et Aitken arrivera bien à démêler ma voix des sifflements.

J'ai deux appareils, comme j'avais deux machines à écrire identiques, car j'ai toujours peur d'une panne. L'autre appareil a sifflé comme le premier. J'ai fait descendre Aitken, avec son troisième appareil, celui qui lui sert à taper les dictées. Toujours les sifflements.

Les deux femmes, Teresa et Aitken, plus patientes que moi, ont essayé pendant une heure de remettre les choses en état. Et, pendant une heure, j'ai dû subir un concert de sifflements suraigus.

Le spécialiste vient de venir, il n'y avait, bien entendu, qu'un simple petit bouton à pousser. Or, depuis deux ans je me suis servi sans anicroche de cet appareil. Sans doute le petit bouton a-t-il été poussé dans l'autre sens par inadvertance.

Je viens d'aller dans la Tour pour chercher des radiographies. J'avoue que j'ai ressenti un malaise, comme j'en ressens lorsque je dois traverser une rue où il y a trop d'autos, me mêler à la foule et au coude à coude d'un cinéma, grimper une route de montagne.

Pourtant, l'appartement est spacieux, bien éclairé, meublé d'anciens meubles anglais auxquels je tiens. Aux murs, des Vlaminck, des Derain, un Soutine, et un immense Lorjou. Ce sont des grosses fleurs sur fond rose, par le même artiste qui a peint d'autres fleurs sur fond bleu, dans ma chambre à coucher d'Épalinges.

J'ai toujours ressenti à peu près le même malaise quand je suis retourné dans un endroit où j'ai vécu. On dirait que, dès que la cassure s'est produite, le passé qu'il représente me gêne, m'angoisse même, alors que dans le cas présent, par exemple, cela a été un passé rempli de bonheur et de joie de vivre.

C'est en frémissant presque d'impatience que j'ai regagné ma petite maison et mon studio rose-orange.

Je n'ai pas oublié les radiographies.

Après-demain matin va se produire un événement comme il s'en est produit souvent dans ma déjà longue existence.

Je vais arriver, tremblant, chez un grand cardiologue. L'émotion instinctive m'obligera à lui demander où sont les toilettes, car je ne rentre jamais chez un médecin ou chez un dentiste sans être pris du besoin urgent de faire pipi, même si je l'ai fait dix minutes avant.

Angine de poitrine? Autre maladie de cœur? Je ne sais pas. Toutes les autres fois, ces examens, que ce soit de cet organe ou d'un autre, ont été négatifs.

Peut-être va-t-il me dire simplement : aérophagie. J'y suis habitué. Sacrée aérophagie, qui vous donne toutes les peines physiques et toutes les angoisses d'une angine de poitrine, sans présenter de gravité, mais sans qu'on ait rien découvert pour la guérir.

Et si c'est une angine de poitrine, je recevrai le verdict avec le plus grand sang-froid, sinon la plus grande indifférence.

On a inventé la Trinitrine quelques années après que mon père est mort d'une angine de ce genre, à quarante-quatre ans.

J'en aurai soixante-douze en février prochain.

Cela ne signifie pas que je me résigne à m'en aller, bien au contraire. Mais la Trinitrine peut me faire durer vingt ans et plus.

Je m'attends, dans ce cas, à ce que les quelques pipes que je garde dans mon studio et que je fume quotidiennement aillent rejoindre mes autres pipes dans la cave où elles se trouvent.

Est-ce que je sucerai des bonbons? Est-ce que je me mettrai à siffler pour m'occuper la bouche? Dans ce cas, je plains Teresa, car je siffle mal et horriblement faux.

Je ne me montre pas plus brave que je ne suis. Mais vraiment je ne suis pas impressionné et c'est en toute quiétude que j'attendrai l'opinion du grand patron.

Tout le monde passe, a passé ou passera par là. Je suis tellement heureux de mon sort que je n'imagine pas qu'on puisse en couper le fil.

Par exemple, lorsque j'ai été immobilisé pendant cinq semaines à la clinique Cécil avec ma hanche cassée, dans un lit-cage, j'ai passé d'excellentes journées à lire, à dicter, et, bien entendu, à échanger mes impressions avec Teresa.

Mais je ne vois pas pourquoi je raconte ça. Peut-être pour mes enfants, plus tard?

Mes trois fils sont tous les trois amoureux, Marc de sa femme Mylène, derrière laquelle il est comme un toutou, Johnny d'une Américaine, dans le New Hampshire, chez qui il va passer le week-end. Il est vrai qu'il a vingt-cinq ans et que dans six mois il aura fini ses études à Harvard.

Pour le troisième, le dernier à vivre avec moi, Pierre, qui n'a que quinze ans et demi, c'est plus ou moins inattendu. Il a eu quelques béguins, toujours sans lendemain, mais depuis deux ou trois semaines son comportement a changé, on le voit à peine, anxieux ou rêveur, et dès qu'il a quitté sa « fille », il se précipite dans son studio pour lui téléphoner. Il avoue qu'il est amoureux. Les parents ont demandé à faire sa connaissance et il y est allé, comme si cela allait de soi, comme si les fiançailles étaient pour demain.

Quant à Marie-Jo, ses amours sont si multiples, depuis l'âge de quinze ans, que j'aurais de la peine à en parler. D'ailleurs, j'ai l'impression qu'elle en écrira un jour le récit, mais je ne jurerais pas qu'il ne soit enjolivé et romanesque.

Si, à soixante-douze ans, le père est encore amoureux, lui aussi, quoi d'étonnant à ce que les enfants suivent le même chemin? En tout cas, je ne me reproche nullement de leur donner le bon exemple.

Je crois bien qu'à moi tout seul, je suis plus amoureux que tous les quatre.

Jeudi 31 octobre 1974.

Cela fait quand même plaisir. Ce matin, j'ai passé une heure vingt dans le cabinet du meilleur cardiologue de Lausanne, en qui j'ai toute confiance.

Franchement, j'étais résigné à apprendre que je souffrais d'angine de poitrine. Il n'en est rien. Mes douleurs viennent tout bonnement, comme on me l'avait déjà dit il y a près de trente ans, de l'aérophagie.

Celle qui a eu le moment le plus dur à passer, c'est Teresa qui, pendant cette heure-là, plus vingt minutes, est restée dans la salle d'attente, souffrant de l'incertitude de ce qui se passait de l'autre côté de la porte.

Ces derniers temps, elle ne parvenait pas à se détendre complètement. Elle était plus anxieuse que moi.

Elle respire enfin. Et moi aussi quand même.

Toussaint 1974.

Dans le canton de Vaud que j'habite, il n'y a pas de Toussaint, pas de visite au cimetière, pas de rideau noir devant les fenêtres plus ou moins gothiques des églises, car nous sommes en pays protestant.

Cela me rappelle beaucoup de souvenirs d'enfance, mais je crois les avoir évoqués par ailleurs.

Voilà quelque temps je remarque (mais le phénomène est peut-être plus ancien que je ne le crois, car je ne fréquente pas les librairies, ou très peu, et je me contente des critiques qui paraissent dans les hebdomadaires et dans les journaux), voilà quelque temps, dis-je, que, me semble-t-il, parmi tous les livres qui paraissent, une bonne part, sinon la majorité, est constituée par les ouvrages de vulgarisation médicale dont j'ai déjà parlés et par les mémoires ou ce qui en tient lieu. Il y a aussi des Antimémoires (Antimémoires avec majuscule). Si cela me frappe, c'est peut-être parce que, depuis plus de deux ans maintenant, je dicte des textes qui se rapprochent plus ou moins de ce que l'on appelle communément des mémoires.

Tout le monde en écrit. Tous les écrivains, voire les journalistes, éprouvent soudain le besoin de raconter leur jeunesse, leur adolescence, parfois leur vie entière, ou leurs aventures au-delà des mers.

J'y pensais hier soir avant de m'endormir. Je me suis souvenu alors que les monarques, empereurs, rois ou princes, ou personnages importants, étaient suivis pas à pas d'un historiographe qui prenait note de leurs faits et gestes, sinon de leurs pensées.

Aujourd'hui, nos grands hommes font cela eux-mêmes.

Cela m'a rappelé aussi que, depuis des années, je reçois régulièrement des lettres de vieillards, hommes ou femmes, ou de demi-vieillards, qui me demandent rendez-vous pour me raconter leur vie afin que j'en fasse le récit à leur place. Certains m'envoient d'office des manuscrits qui ne sont pas tous sans intérêt, bien au contraire.

Les faits et gestes d'un homme quelconque, de l'homme de la rue, pour employer une expression courante, ses pensées, ses problèmes, présentent autant d'intérêt à mes yeux que les ratiocinations d'un ministre ou d'un ancien président du Conseil.

Il m'est arrivé d'envoyer à un éditeur certains de ces manuscrits que m'apporte la poste. J'ignore ce qu'ils sont devenus.

Qu'est-ce qui pousse les gens, passé un certain âge, à se raconter? Est-ce qu'ils espèrent ainsi se prolonger en quelque sorte dans l'esprit de ceux qu'ils ont connus ou des autres? Peut-être dans un certain nombre de cas.

Est-ce qu'ils veulent se prouver à eux-mêmes qu'en fin de compte leur vie n'a pas été aussi terne, aussi inutile qu'ils sont tentés de le croire. Si oui, ce serait profondément humain et émouvant. Plus émouvant qu'une sculpture tarabiscotée sur leur tombe.

Quant à moi, si on me posait la question en ce qui concerne ces dictées quasi quotidiennes, je serais en peine de répondre. Lorsque j'ai cessé d'écrire des romans, je croyais sérieusement que j'échappais à ce qui se rapporte plus ou moins à la littérature.

De la littérature, je me défends d'en faire. C'est même ce qui me gêne dans les deux ou trois « mémoires » que j'ai essayé de parcourir. Toujours la belle phrase, le souci du langage, et, m'a-t-il semblé, assez peu de sincérité réelle.

Il est vrai que le grand Rembrandt s'est peint avec complaisance, maintes fois, sous son aspect le plus avantageux.

Quant à un homme comme André Gide, j'ai été déçu le jour où j'ai eu sous les yeux ses photographies à tout âge : partout une pose étudiée, pour se mettre le plus possible en valeur.

J'essaie, quant à moi, d'être aussi près de la vérité toute crue que possible. Est-ce que j'y arrive? D'autres le diront un jour.

En tout cas, je me serai donné du bon temps, car ces dictées, ces brefs souvenirs, ces tableautins jaillis de ma mémoire, je les dicte sans apprêt, pour mon propre plaisir, et aussi pour me débarrasser de pensées vagabondes qui parfois, le soir, m'assaillent et m'empêchent de m'endormir immédiatement.

Le mot « Mémoires » me déplaît. J'aimerais mieux le mot « bavardages ».

Et je continue à appeler mon magnétophone mon jouet.

Mon dernier jouet, c'est-à-dire celui d'un homme qui n'a plus le courage ni l'énergie de créer de la « fiction », c'est-à-dire des personnages, et qui, s'il se met en scène à l'occasion, ne cherche ni à donner de lui-même une image flatteuse, ni à émettre des idées définitives.

De vraies idées, je n'en ai pas. Je suis le courant vaille que vaille, et je n'essaie pas de me diriger. Comme une feuille à la surface d'un ruisseau ou d'une rivière.

Dimanche 3 novembre 1974.

Je viens de passer une nuit enchantée. Ni chez Régine, ni chez Castel, ni au Lido, ni dans je ne sais quel cabaret à la mode, car voilà des années que je n'ai pas mis les pieds à Paris.

Non, cette nuit, je l'ai tout bonnement passée dans mon lit, à dormir. Mais d'un sommeil lumineux, sans rêver à proprement parler, la tête pleine d'images d'une sérénité et d'une beauté que j'ai retrouvées à mon réveil.

Hier soir, à la télévision, j'avais vu des photos en couleurs que les frères Lumière ont prises à la fin du siècle dernier. La plupart étaient de véritables tableaux impressionnistes.

Or, je suis né en plein impressionnisme et cela m'a marqué. La plupart des grands peintres de ce mouvement vivaient encore. J'aurais pu rencontrer, à dix-neuf ans, quand je suis arrivé en France, le père Renoir. Je n'en ai pas eu la chance mais j'ai eu celle de devenir l'ami de ses trois fils, Jean, que je considère comme un frère et qui est le parrain de mon fils Johnny, Pierre, qui a été à l'écran le premier Maigret, Claude, au caractère resté enfantin, aux yeux lumineux et candides.

J'envie les impressionnistes, comme, tout de suite après eux, les pointillistes. Ils vivaient dans un monde de lumière et ils en connaissaient les secrets, que ce soit sur le feuillage dans la forêt de Barbizon ou que ce soit sur un visage et un corps de femme nue.

Il paraît qu'un des frères Lumière, à sa mort, a prononcé une petite phrase que je voudrais prononcer à mon tour lorsque je m'éteindrai, mais ce ne serait pas, dans ma bouche, tout à fait exact :

— Je me suis bien amusé.

Et c'est vrai, ces artistes-là s'amusaient vraiment, jouissaient pleinement de la nature, des reflets sur l'eau, que ce soit d'une rivière ou de la mer. On ne sent chez eux aucune crispation d'intellectuel à la recherche d'une formule originale. On a l'impression qu'ils peignaient comme ils respiraient, comme ils faisaient l'amour.

Toute ma vie, je suis resté imprégné de cet impressionnisme-là, comme je le suis aussi de ce que l'on a appelé le fauvisme. J'ai eu beaucoup d'amis fauves. Je les ai vus ensuite s'assagir.

J'ai assisté aux grandes expositions d'arlequins de Picasso, puis à ses essais cubistes, la guitare, le paquet de tabac gris, un objet quelconque qui prenait soudain une valeur étonnante.

Sont venus ensuite les expressionnistes, surtout allemands, que j'ai pu suivre aussi.

Après cela, peut-être parce que je commençais à vieillir, sinon à perdre un certain contact avec le présent, je n'ai plus été ému par la peinture, je veux dire la nouvelle peinture, les mosaïques de toutes les couleurs, les damiers, quelques taches sur une toile blanche ou encore des sortes d'hiéroglyphes, tracés d'ailleurs avec beaucoup de science et de goût.

Pendant des années, j'ai visité chaque semaine toutes les galeries de tableaux de Paris. Un jour, je me suis senti indifférent et je n'ai pas continué.

Je vois pourtant des hommes d'un certain âge, mettons passé la cinquantaine ou la soixantaine, continuer à s'emballer pour la peinture moderne, à moins qu'ils ne considèrent leurs achats comme des placements.

Y a-t-il un moment où, pour la plupart des hommes, on perd le contact avec son temps? Le dernier mouvement pour lequel je me sois passionné est le mouvement surréaliste et je crois, en me trompant peut-être, que c'était celui qui collait le plus à son époque marquée par l'influence de Freud et de ses disciples.

Dans mon subconscient, c'est toujours l'impressionnisme qui revient et j'ai passé une nuit impressionniste où les couleurs succédaient aux couleurs, les arbres, les ruisseaux, les plages de Normandie se succédaient, aussi éblouissantes dans mon sommeil que dans les toiles des maîtres de la fin du siècle dernier et du début de ce siècle.

En retrouve-t-on des traces dans mon œuvre? Je l'ignore. Si oui, c'est à mon insu que j'ai fait à mon tour de l'impressionnisme. Renoir et ses amis m'ont révélé l'importance de l'atmosphère, du soleil, des nuages plus ou moins sombres ou plus ou moins lumineux, de la pluie et de la neige, et cette influence s'exerce aujourd'hui sur toute une école psychologique et même médicale, qui recherche les effets du temps et de la lumière sur le psychisme, voire sur la santé physique des individus.

Dès 1929, c'est-à-dire dès les premiers Maigret, je me suis

efforcé d'accorder les humeurs et les réactions de mes personnages avec la couleur du temps.

Ce que je dis de la peinture, je pourrais le dire de la musique, de la sculpture et, pourquoi pas, de la littérature.

Je n'ai pas suivi l'évolution jusqu'au bout. Je me demande si c'est possible, si, à soixante-douze ans, ou presque, on peut retrouver les enthousiasmes de sa jeunesse pour telle ou telle forme d'art.

Ne sommes-nous pas destinés, chacun de nous, à nous imprégner pendant un certain nombre d'années, puis, comme saoulés de peinture ou de musique, devenir incapables de poursuivre le chemin que les jeunes sont en train de tracer?

Je ne suis pas de ceux qui ne parviennent pas à s'adapter à la vie moderne. Tout au contraire. Je m'y sens parfaitement à l'aise. Je suis aussi heureux aujourd'hui que quand je découvrais Gauguin, Van Gogh ou Signac.

Mais je continue à voir un arbre, un buisson, les lumières changeantes d'un intérieur aux fenêtres ouvertes comme je les voyais à vingt ou à trente ans.

Je ne le regrette pas. Au contraire. Je ne m'en vante pas non plus. C'est peut-être une faiblesse. Mais une faiblesse à laquelle je tiens et, aujourd'hui, je vais garder toute la journée, je le sens, les images si lumineuses et si réconfortantes qui m'ont accompagné la nuit dernière dans mon sommeil.

Mardi 5 novembre 1974.

Hier matin, si je ne me trompe, à moins que ce ne soit avant-hier (car, si j'ai une mémoire de plus en plus précise du passé, j'ai une plus mauvaise mémoire pour les événements récents), je parlais de mes rêves impressionnistes et de l'influence que cet impressionnisme avait eu sur moi.

Hier soir, à la télévision, un véritable festival avec des tableaux de Monet. J'en étais haletant.

Depuis que je me porte mieux, j'ai entrepris, avec ma secrétaire, une révision des comptes de mes différents éditeurs. Hier, c'est mon éditeur allemand qui a passé d'abord la matinée à mon secrétariat, une partie de l'après-midi ici. Toutes les mises au point ont été faites et il y en avait beaucoup.

Ce matin, une lettre qui m'a écœuré. Inutile de dire de qui. Le chantage continue. Pas plus qu'auparavant je n'ai cédé, et mon avocat est tout à fait d'accord avec moi.

Un jour le souffle au nord, le lendemain au sud, le surlendemain à l'est.

Il paraît qu'Épalinges est couvert de neige. C'est à peine si je me souviens d'avoir habité cette maison presque gigantesque. D'un gigantisme qui ne correspond pas à mon tempérament, ni à mes aspirations.

Après m'être occupé d'affaires, le bonheur. Après une courte promenade, j'en ai fait une plus longue et j'ai retrouvé avec la même joie, la même sérénité, le même amour, mon studio rose ou plutôt orange de l'avenue des Figuiers.

Je m'y sens chez moi. Je me suis rarement trouvé chez moi dans une des quelque trente habitations que j'ai eues durant ma déjà longue existence.

Il y en a qui la trouvent même trop longue. Heureusement qu'il y en a d'autres pour m'aider à vivre ce qu'on appelle la vieillesse, et de la vivre dans la joie.

Mercredi 6 novembre 1974.

Ce matin, c'était presque une première. Depuis longtemps, je n'avais pu aller au marché. Or, j'ai dû déjà en parler deux ou trois fois, j'ai la folie des marchés depuis ma plus tendre enfance.

Celui de Lausanne est particulièrement pittoresque. Il commence dans une rue en pente assez raide, continue à droite dans une rue qui s'appelle d'ailleurs la descente Saint-François et qui est plus raide encore, traverse la rue Centrale, remonte par une nouvelle pente jusqu'à la place de la Riponne.

Toutes ces rues sont étroites et les cultivateurs comme les maraîchers sont assis sur des pliants sur les deux trottoirs, avec devant eux des cageots ou des corbeilles de légumes, de fruits et de fleurs. C'est une orgie de couleurs et d'odeurs.

Cela m'a fait penser que né à Liège, dans une ville industrielle, et n'allant à la campagne qu'environ un mois par an, une campagne si proche de la ville qu'elle en est maintenant la banlieue, je n'ai jamais, dès mon envol à l'âge de dix-sept ans, habité à nouveau une ville.

Même lorsque j'avais mon domicile à Paris, soit place des Vosges, soit plus tard boulevard Richard-Wallace, après deux mois je m'échappais, au début pour aller m'installer dans une auberge de n'importe quel village, à Meung-sur-Loire, par exemple, à Port-en-Bessin, ou dans les environs de La Rochelle.

Plus tard, Porquerolles, où j'avais une maison au bord de l'eau et où j'avais aussi un bateau avec lequel je me livrais à la pêche.

Pendant de nombreuses années, j'ai cru fermement que la mer était indispensable à mon bonheur. En 1938, je me suis rendu en voiture à l'extrême nord de la Hollande, à Delfzijl, où j'étais déjà allé avec mon bateau, et, à petites journées, j'ai suivi la côte en cherchant un coin où m'installer, soit en Hollande, soit en Normandie, en Bretagne, n'importe où je serais au bord de la mer et où il n'y aurait pas de touristes.

Alors déjà, c'était introuvable. J'ai fini à quelques centaines de mètres de La Richardière que j'avais habitée dix ans plus tôt. J'y ai acheté une maison qui est un ancien prieuré, et qui est habitée maintenant par ma première femme. J'ai fait de longs séjours aussi le long de la côte méditerranéenne, mais jamais dans les villes, même à Cannes, où je nichais tout en haut de la colline. Là aussi je faisais mon marché. Je l'ai fait partout, en Turquie, en Égypte, au Soudan, en Afrique-Équatoriale, puis, plus tard, en Amérique du Centre, du Sud, à Tahiti, que sais-je?

La visite des marchés et des souks est maintenant comprise dans l'itinéraire des voyages collectifs. Des gens pressés viennent s'étonner devant un fruit exotique et regardent passer les belles femmes noires qui portent dignement en équilibre une bouteille, un broc, n'importe quelle charge sur la tête.

La terre, les fleurs, les fruits, les légumes, ceux qui vendent et qui achètent, cela a tenu une grande place dans ma vie jusqu'à très récemment et c'est pourquoi ce matin je ressentais, rue de Bourg, une joie si profonde, presque physique, et même physique tout à fait, puisque cette joie concerne à la fois la vue, l'odorat, et l'ouïe, car nulle part ailleurs on n'entend de voix si diverses et si savoureuses.

Pourquoi ce goût des campagnes, des foires aux chevaux et aux bestiaux, de tout ce qui concerne la terre, chez un gamin né dans une cité entourée des terrils des charbonnages? Je me souviens que dans ma jeunesse le mot paysan était péjoratif.

Il ne l'a jamais été pour moi et j'ai bien failli établir un élevage, j'en ai même établi un, pour mon plaisir, et je trayais les vaches à cinq heures du matin, après quoi j'allais manger deux grandes assiettées de soupe.

Y aura-t-il encore de vraies campagnes dans quelques années? Je n'en sais rien. Mais ici, je n'entendrai plus la voix d'un laboureur aiguillonnant ses bœufs. Comme ils vont par paire, il leur lançait interminablement : « Pigeon! Voyageur! »

Car c'est la coutume, dans certaines régions de France, de donner aux deux bœufs accouplés un nom composé.

— Pigeon! Voyageur!

Au fond, j'ai moi-même été toujours un pigeon voyageur.

Jeudi 7 novembre 1974.

« Les fantômes qui s'ignorent. »

Ils ne s'ignorent pas vraiment, en ce sens qu'ils sont tout pleins d'eux-mêmes. Tout pleins et satisfaits. On les voit à la télévision, dans les journaux, dans les hebdomadaires. Ils se font volontiers interviewer ou bien ils parlent seuls à une tribune quelconque.

S'ils s'ignorent, c'est qu'ils ne savent pas qu'ils sont des fantômes. Ils n'appartiennent plus à notre monde. Ils vivent au XIXe siècle, sinon au XVIIIe ou au XVIIe.

Et je ne parle pas de l'empereur d'Iran, aussi couvert de décorations, jusque plus bas que le nombril, que je ne sais plus quel roi africain qui en mettrait bien sur ses pantalons.

Il y a comme cela toute une société, pas seulement dans un pays, mais dans la plupart des pays, qui vit à contretemps, qui ne voit rien de ce qui se passe. D'ailleurs, s'ils le voyaient, ils ne comprendraient quand même pas.

Cela m'amuse et me terrifie, parce que quand ces gens-là se sentiront menacés pour de bon, ils n'hésiteront pas à déclencher n'importe quelle catastrophe, pour continuer à se croire vivants, à se croire indispensables et magnifiques.

Samedi 9 novembre 1974.

En 1942, lorsque j'ai commencé à écrire *Pedigree*, qui est un roman plus ou moins biographique, ou une biographie très légèrement romancée, je projetais d'inscrire en sous-titre : « Épopée des petites gens. »

Si j'employais le mot « petites gens », c'est que je ne trouvais pas d'autre terme. Des petites gens, j'en faisais partie dans mon enfance et je me considère encore comme un des leurs, car les cols blancs, comme on appelle aux États-Unis les employés, sont des petites gens au même titre que les artisans et que les ouvriers.

A l'époque, il y avait un abîme entre les cols blancs et les ouvriers, surtout ceux des charbonnages et des usines.

Cette distinction me révoltait. Les meilleurs souvenirs de mon enfance viennent de la rue Puits-en-Sock, c'est-à-dire de chez mon grand-père Simenon qui, chapelier, avait encore appris son métier en étant, non seulement compagnon du tour de France, mais en parcourant l'Europe Centrale et l'Italie.

Hier, la télévision nous apportait un témoignage sur d'autres petites gens, les paysans pauvres des Cévennes, et là aussi on aurait pu employer le mot épopée.

Car c'en est une, en effet, que la vie de ces hommes qui, pendant des siècles, ont vécu sur un sol rude, ingrat, où ils devaient tout produire pour la vie de la famille et où l'argent n'existait pour ainsi dire pas.

J'aurais voulu naître paysan, moi aussi. D'ailleurs, dès que je l'ai pu, comme je l'ai dit récemment, j'ai vécu à la campagne, j'ai élevé de la volaille, toutes sortes d'animaux domestiques, y compris des vaches que j'étais très fier de traire.

Il y a un mot de l'auteur de l'émission d'hier, le romancier Chabrol, qui m'a frappé; je cite de mémoire, peut-être inexactement :

— Il n'existe que deux sortes de gens qui vivent pleinement : les princes et les pauvres.

Les princes, c'est-à-dire ceux qui ont trop, qui possèdent des moyens inépuisables, et pour qui, par le fait, l'argent compte à peine.

Les pauvres, parce qu'ils n'ont pour ressources que leurs mains et leur courage.

On nous a montré une maison aux pierres inégales cueillies dans la rivière, une maison que le père et le grand-père de Chabrol ont habitée, où ils sont nés, où ils sont morts, et où Chabrol est né et vit encore.

C'est cela qui m'a rappelé la rue Puits-en-Sock et ma grand-mère paternelle, une femme qui ne s'asseyait pas pendant la journée, qui cuisait encore le pain pour tous ses enfants (et elle en avait treize), même quand ils étaient mariés et avaient des enfants eux-mêmes.

Vivre de ses propres ressources, vivre en dehors du commerce et de l'industrie, cela m'apparaît, cela m'a toujours apparu comme un rêve.

Hélas! C'est irréalisable aujourd'hui. Nous ne nous nourrissons plus de châtaignes, comme dans les Cévennes et comme en Vendée où j'ai vécu. Nous ne faisons plus le pain de la famille. Ni les fromages. Ni même, pour une bonne part de la population, les plats cuisinés.

La grand-mère de Chabrol, comme ma grand-mère Simenon, suivait encore des recettes héritées de plusieurs générations, des recettes paysannes, des recettes de pauvres qui doivent donner un goût et une saveur particulière à des aliments toujours les mêmes.

Au fond, j'envie mon confrère, car Chabrol est un excellent romancier, de vivre dans la maison de ses ancêtres et d'avoir hérité de toutes ces recettes, de les savourer, de continuer à faire chaque jour les gestes de ceux qui l'ont précédé.

Les petites gens étaient heureux dans leur misère. Ils savaient encore apprécier la saveur des choses les plus simples, ils savaient aussi apprécier la chanson d'un torrent, les reflets sur l'eau, le passage des nuages sur un ciel d'un bleu délavé.

Est-ce être rétrograde que de regretter tout cela, de passer non sans indignation devant les supermarchés bourrés de conserves et de nourriture congelée ou surgelée?

Mes enfants ne regrettent rien. Ils sont nés avec la publicité sous toutes ses formes, avec les gadgets, avec les autos et les motos-suicide.

Je suis stupéfait de voir un de mes fils, un Simenon issu comme moi du chapelier de la rue Puits-en-Sock, suivre les cours du Business School de Harvard.

Business ! Je ne lui en veux pas. Il vit avec son temps. Mais que c'était bon de compter, non pas en millions, mais en centimes, car pendant ma jeunesse on pouvait encore acheter des bonbons pour un centime. Il y avait en circulation des petites piécettes de bronze d'un et de deux centimes.

Bientôt, avec l'inflation, les francs eux-mêmes disparaîtront sans doute. Il faudra une monnaie de plus en plus lourde, comme on dit, c'est-à-dire permettant d'acheter toutes les choses inutiles, superflues, souvent ridicules, pour l'acquisition desquelles les hommes d'aujourd'hui travaillent.

J'ai fini, passé soixante-dix ans, par revenir presque à mon point de départ. Place des Vosges, pendant des années, je n'occupais qu'un studio qui était à la fois chambre à coucher, salle à manger, salon, et même bar, car il y avait un vrai bar dans un coin.

Maintenant, ma vie s'écoule, sauf pour les repas, dans une seule pièce aussi où, avec Teresa à mes côtés, se résume toute notre existence. Je suis heureux.

Mardi 12 novembre 1974.

Dimanche, j'ai regardé, comme le dimanche précédent, l'émission consacrée aux impressionnistes. C'était le deuxième volet de l'émission Monet. Autant la première partie m'avait enthousiasmé, au point que toute la nuit j'en ai revu les images à travers mon sommeil, autant l'émission de dimanche dernier, consacrée à la deuxième partie de sa vie, m'a laissé un malaise.

J'ai essayé, pendant deux jours, de l'analyser, sans y parvenir complètement.

J'avais vu, le dimanche précédent, un Monet relativement jeune, mangeant de la vache enragée, plein d'un enthousiasme extraordinaire pour la lumière, les reflets, une nature qu'il semblait rendre dans son intégrité.

Dans l'émission de dimanche dernier, c'était un Monet qui avait acquis la gloire, qui s'était acheté ou fait construire une grande maison près de Paris. Il avait une barbe blanche; il commençait à souffrir des yeux. Un peu plus tard, il devait être opéré de la cataracte et il ne disposait plus que d'un seul œil. A soixante-quinze ans environ, il commençait la série de ses *Nymphéas* qui, pour beaucoup, passent pour son chef-d'œuvre.

Je ne prétendrai pas que j'ai été déçu par les *Nymphéas*. J'admire au contraire et j'envie Monet d'avoir pu, à son âge, mener une œuvre aussi colossale jusqu'au bout, car il y a travaillé jusqu'à l'âge de quatre-vingt-cinq ans, si je ne me trompe, c'est-à-dire jusqu'à l'année de sa mort.

Renoir aussi a travaillé jusqu'à sa mort, même si ses doigts ankylosés parvenaient à peine à tenir le pinceau.

Cela m'a rappelé une statistique que j'ai lue il y a plusieurs années, je ne sais où. Elle démontrait que, depuis les temps les plus lointains de la peinture et de la sculpture, voire de la littérature, les œuvres maîtresses avaient été écrites par des vieillards. Le Titien, à quatre-vingts et quelques années, lui aussi, peignait certains de ses plus beaux tableaux qu'aucun jeune n'aurait osé entreprendre. Je ne parle pas du second Faust de Goethe. J'ai oublié la plupart des noms.

Mais je restais sur l'idée que l'âge plus que mûr, que la vieillesse, était encore capable de produire des chefs-d'œuvre.

Aujourd'hui, on recherche surtout, chez les peintres, chez ceux qui ont été des fauves, entre autres, ou des expressionnistes, ce qu'on appelle les œuvres de leur première manière, les œuvres qui leur ont succédé dès l'âge mûr étant, sinon délaissées, tout au moins défavorisées à l'égard des premières.

C'est cela qui m'a troublé dans l'émission sur Monet, je veux dire dans la seconde émission, celle des œuvres de vieillesse.

J'admire les *Nymphéas*, certes. Mais est-ce que je les aime vraiment autant que les tableaux qui les ont précédés ? Est-ce qu'il n'y a pas là comme le reflet d'une manie, j'allais dire sénile ? Est-ce que l'homme dont les œuvres avaient jailli d'un enthousiasme irrépressible n'avait pas fait place à l'œuvre d'un homme qui était devenu petit à petit une sorte de théoricien ?

Du coup, je me suis senti amoindri. Moi aussi, pendant près de cinquante ans, j'ai travaillé, comme sur le motif, pour parler le langage impressionniste, et j'ai laissé jaillir mes romans presque comme s'ils n'étaient pas de moi. Ils sortaient de mon être le plus profond, mais un être que je ne connaissais pas. Autrement dit, ils jaillissaient de mon subconscient.

Comme Monet, j'ai tenté de toujours simplifier, de toujours ramasser mes impressions, de supprimer l'inutile, de supprimer l'anecdote. Puis, peu avant mes soixante-dix ans, j'ai eu l'impression que je n'étais capable d'aller plus loin que si je sacrifiais ma santé et, peut-être, ma santé cérébrale.

J'ai coupé net, alors que je venais de rédiger le plan d'un nouveau roman. Non seulement j'ai coupé net avec le roman, mais aussi avec la vie que cette activité entraînait, c'est-à-dire la vie d'Épalinges. Et j'ai quitté, presque du jour au lendemain, cette maison que j'avais bâtie pour être ma demeure définitive.

Ici, je vis avec Teresa dans une seule pièce, n'en sortant que pour gagner la salle à manger où nous déjeunons et dînons en famille avec mon fils Pierre. Yole, qui fait la cuisine, la femme de ménage qui vient chaque matin et, bien entendu, Teresa qui prend soin de moi et partage toutes mes heures.

Quand je pense aux grands peintres que j'ai connus et qui ont presque tous vécu très vieux, je constate qu'ils étaient tous entièrement pris par leur œuvre. Rien ne les intéressait d'autre. Certains, d'ailleurs, ont été cruels avec leurs proches et avec leur famille. Certains n'ont pas supporté cette tension créatrice et sont devenus fous ou ivrognes.

En regardant Monet et ses *Nymphéas*, j'ai fait un retour en arrière. A soixante-dix ans, j'ai décidé de ne plus écrire de romans. Au fond, *par peur*. Je sentais confusément de quel prix je payerais mon œuvre future. Je savais que de continuer à créer des personnages, à m'efforcer de les faire vivre, à les porter en moi bien avant de les mettre sur le papier, constituait une sorte de suicide.

Au fond, peut-être ai-je davantage aimé la vie que mon œuvre. Et pourtant j'ai consacré presque tout mon temps à celle-ci, moi aussi. J'ai d'abord écrit six romans par an, puis quatre, puis trois. Mais, comme ils étaient toujours plus intenses, tout au moins de mon point de vue, ils me rongeaient petit à petit.

Est-ce que j'aime vraiment les *Nymphéas?* Est-ce que, dans le fond de moi-même, et non par envie, je ne me suis pas demandé si ce n'était pas l'œuvre d'un homme atteint de sénilité?

J'ai probablement tort, puisque les *Nymphéas* sont presque universellement considérés comme le chef-d'œuvre de Monet.

S'il en est ainsi, j'ai eu tort d'abandonner. Peut-être serais-je arrivé, moi aussi, à l'œuvre maîtresse?

Est-ce lâcheté de ma part d'avoir voulu vivre avant tout?

Personne ne peut répondre à cette question, ni moi-même.

J'ai pourtant éprouvé le besoin de continuer à m'exprimer. Mais à m'exprimer d'une façon différente, presque opposée à celle du roman, à chercher en moi-même la partie qui appartient à l'homme tout court, à l'homme universel.

C'est ce que je continue à faire, sans souci de littérature, sans souci d'être lu et compris.

Je n'en éprouve pas moins comme une certaine honte. N'ai-je pas été une sorte de déserteur? Est-ce que j'aurais été capable, si j'avais continué, d'écrire un jour mon grand livre, cette œuvre que tant de critiques m'ont poussé à entreprendre, quitte à en crever le lendemain ou, comme Van Gogh, à entrer dans une maison de santé?

Est-ce que je ne me suis pas comporté, au fond, comme un petit homme qui, prudent, a décidé d'économiser ses efforts comme tant d'autres économisent leur argent?

FIN DU TROISIÈME VOLUME

OUVRAGES DE GEORGES SIMENON

AUX PRESSES DE LA CITÉ (suite)

« TRIO »

I. — La neige était sale – Le destin des Malou – Au bout du rouleau
II. — Trois chambres à Manhattan – Lettre à mon juge – Tante Jeanne
III. — Une vie comme neuve – Le temps d'Anaïs – La fuite de Monsieur Monde
IV. — Un nouveau dans la ville – Le passager clandestin – La fenêtre des Rouet
V. — Pedigree
VI. — Marie qui louche – Les fantômes du chapelier – Les 4 jours du pauvre homme
VII. — Les frères Rico – La jument perdue – Le fond de la bouteille
VIII. — L'enterrement de M. Bouvet – Le grand Bob – Antoine et Julie

★

AUX EDITIONS FAYARD

Monsieur Gallet, décédé
Le pendu de Saint Pholien
Le charretier de la Providence
Le chien jaune
Pietr-le-Lettoon
La nuit du carrefour
Un crime en Hollande
Au rendez-vous des Terre-Neuvas
La tête d'un homme
La danseuse du gai moulin
Le relais d'Alsace
La guinguette à deux sous
L'ombre chinoise
Chez les Flamands
L'affaire Saint-fiacre
Maigret
Le fou de Bergerac
Le port des brumes
Le passager du « Polarlys »
Liberty Bar
Les 13 coupables
Les 13 énigmes
Les 13 mystères
Les fiançailles de M Hire
Le coup de lune
La maison du canal
L'écluse n° 1
Les gens d'en face
L'âne rouge
Le haut mal
L'homme de Londres

A LA N.R.F.

Les Pitard
L'homme qui regardait passer les trains
Le bourgmestre de Furnes
Le petit docteur
Maigret revient
La vérité sur Bébé Donge
Les dossiers de l'Agence O
Le bateau d'Émile
Signé Picpus
Les nouvelles enquêtes de Maigret
Les sept minutes
Le cercle des Mahé
Le bilan Malétras

ÉDITION COLLECTIVE SOUS COUVERTURE VERTE

I. — La veuve Couderc – Les demoiselles de Concarneau – Le coup de vague – Le fils Cardinaud
II. — L'Outlaw – Cour d'assises – Il pleut, bergère... – Bergelon
III. — Les clients d'Avrenos – Quartier nègre – 45° à l'ombre
IV. — Le voyageur de la Toussaint – L'assassin – Malempin
V. — Long cours – L'évadé
VI. — Chez Krull – Le suspect Faubourg
VII. — L'aîné des Ferchaux – Les trois crimes de mes amis
VIII. — Le blanc à lunette – La maison des sept jeunes filles – Oncle Charles s'est enfermé
IX. — Ceux de la soif – Le cheval blanc – Les inconnus dans la maison
X. — Les noces de Poitiers – Le rapport du gendarme G 7
XI. — Chemin sans issue – Les rescapés du « Télémaque » –Touristes de bananes
XII. — Les sœurs Lacroix – La mauvaise étoile – Les suicidés
XIII. — Le locataire – Monsieur La Souris – La Marie du Port
XIV. — Le testament Donadieu – Le châle de Marie Dudon – Le clan des Ostendais

SÉRIE POURPRE

Le voyageur de la Toussaint
La maison du canal
La Marie du port